KB182787

1세대 2주택자 부동산 세금에서 살아남기

1세대 2주택자 부동산 세금에서 살아남기

2018년 5월 17일 초판 1쇄 발행
2018년 6월 28일 초판 2쇄 발행
2018년 7월 10일 초판 3쇄 발행
2019년 2월 11일 2판 1쇄 발행
2019년 6월 4일 2판 2쇄 발행
2020년 3월 13일 3판 1쇄 발행
2021년 1월 13일 4판 1쇄 발행

지 은 이 | 김연주(金均注)·임준찬(林埈鑽)
발 행 인 | 이희태
발 행 처 | 삼일인포마인
등록번호 | 1995. 6. 26. 제3-633호
주 소 | 서울특별시 용산구 한강대로 273 용산빌딩 4층
전 화 | 02)3489-3100
팩 스 | 02)3489-3141
가 격 | 17,000원

ISBN 978-89-5942-916-5 93320

다주택자, 중과를 피하는 11가지 절세 전략

1세대 2주택자 부동산 세금에서 살아남기

김연주(金均注) 세무사
임준찬(林埈鑽) 세무사
공저

SAMIL | 삼일인포마인

2021년 개정판을 내면서

2017년 8·2 대책 + 2018년 9·13 대책 + 2019년 12·16 대책 +2020년 7·10 대책+ **2021년 양도소득세 개정세법**

『1세대 2주택자 부동산 세금에서 살아남기』
2021년 개정세법 반영 발간에 감사드립니다.

"주변에 아는 세무사님들은 양도를 거의 안하시고 세무사님들조차 너무 급변하는 양도세를 좇아갈 수가 없어 양도를 포기하였다고 하네요. 양도, 증여, 상속을 전문으로 하신다는 소개받고 왔습니다."

"부동산을 팔아야 하는지, 종합부동산세를 부담하더라고 보유해야하는지, 자녀에게 미리 증여를 해주는 것이 나은지, 이것저것 골치 아프니 그냥 상속하는게 나은지 정말 모르겠습니다." 상담실에서 주택 2채를 보유한 평범한 60대 가장이 한참 풀어놓는 속앓이입니다.

정부는 2017년 8·2 대책을 시작으로 수많은 부동산 대책을 발표하였습니다.

다주택자의 주택임대사업 양성화를 유도하고 실질적인 주택보유 현황을 파악하기 위하여 과도한 세제지원책을 부동산 시장에 제안하였지만, 그 결과 오히려 지가상승이 예상되는 조정대상지역에 투기세력까지 끌어들이는 결과를 초래하여 2018년 9·13 대책으로 주택임대사업자의 혜택을 전폭적으로 삭제하기에 이르렀습니다.

2020년 7. 10. 발표된 부동산 대책은 다주택자의 단기거래에 대한 부동산 세제강화와 임대등록사업제도 보완을 통한 주택시장 안정화입니다.

조정대상지역의 취득세 중과규정을 강화하고 종합부동산세의 세율을 인상하였습니다.

더불어 2021년 6월 1일부터 조정대상지역의 2주택자는 기본세율에 세율이 20%가 가산되고 3주택자는 30%가 할증되어 과세표준이 10억을 초과하면 최대 75% 세율의 직격탄을 맞게 되었습니다.

그동안 많은 재산가들이 재산세 및 종합부동산세의 납세의무자가 수탁자인 점을 감안하여 신탁회사를 통해 다주택신탁을 맡기고 종합부동산세 절세를 활용하여 왔으나, 세법개정을 통하여 부동산 신탁시 재산세와 종합부동산세 등 보유세 납세자를 수탁자(신탁자)에서 원소유자(위탁자)로 변경하였습니다.

2017년의 8·2 대책, 2018년의 9·13 대책 그리고 2019년 12·16 대책, 2020년 7·10 대책으로 2주택 이상의 다주택자는 잠 못 이루는 날들로 마음이 심난합니다. 이러한 흐름을 보면, 시간이 갈수록 부동산에 대한 압박은 무거워질 것으로 예상됩니다.

하루가 다르게 급변하는 조세현실에서
'1세대 2주택자 부동산 세금에서 살아남기!!!'

이 책은 방대한 양도소득세 분야 중에서 특히 2주택 이상을 보유한 분들이 집을 팔 때 반드시 한번쯤 생각해보아야 하는 포인트를 정리한 책입니다. 낯설고 어렵게 느껴지는 양도세를 다주택자에게 필요한 세제부분만 콕 집어서 만든 책입니다.

2주택을 소유한 분들은 2주택에 해당되는 부분만 찾으면 궁금한 내용을 확인할 수 있도록 하였고, 3주택자 또한 3주택에 필요한 사항만을 일목요연하게 정리하였습니다.

더불어 2020년 발표된 부동산 대책과 2017년, 2018년, 2019년 수차례 발표된 양도소득세 내용을 한눈에 파악할 수 있도록 앞머리에 수록하였습니다.

당부하고 싶은 말씀은 집을 팔 때에는, 반드시 사전에 양도를 전문으로 하는 세무사와의 충분한 상담을 해야 한다는 것입니다. 이를 통해, 생각해 볼 수 있는 다양한 변수의 세금설계를 하여 최대의 절세효과를 끌어내야 합니다. 더불어 이 책은 주택 매매에 따른 양도세에 대해 많은 고민을 가진 분들의 고충을 해결해주는 길잡이 역할을 할 것입니다.

이 책이 발간되는데 많은 관심과 응원을 실어주신 삼일인포마인 대표님과 전무님 그리고 관계자분들과 좋은 책이 되도록 아낌없는 고견을 쏟아준 親舊와 茶人께도 깊은 감사를 전합니다.

상당한 에너지와 집중력이 필요한 여정 속에 인터넷 빛명「www.vittcafe.com」의 현존하는 빛vitt에너지, "풍요의 빛·超光力"을 통해 지혜와 활기와 생기를 충전하였습니다. 이 책을 접하시는 독자제현께서도 인터넷 빛명상 「www.vittcafe.com」과 『행복순환의 법칙』 책을 통해 살아있는 빛vitt에너지를 섭취하여 행복하고 건강하며 풍요로운 일상을 만들어 보시길 권해드립니다.

언제나 큰 사랑을 담아주는 가족과 사랑하는 아들 그리고 1997년을 시작으로 20년 이상을 한결같이 '건강과 행복 그리고 풍요의 빛viit'을 담아주시고 '이 집을 찾는 사람 세금걱정은 아웃, 超光力과 함께!' 휘호를 남겨주신 빛선생님께 감사의 마음을 드립니다. 특히 "8생의 복을 누려야 만날 수 있다"는 침향을 가르쳐 주시고, 침향을 통해 보다 건강하고 풍요로운 삶을 채울 수 있도록 큰길을 열어주신 빛선생님께 감사드립니다.

"이 모든 것에 감사합니다."

沈香향기 가득한 청담동 사무실에서

2021년 金均注·林埈鑽

머리말

"세무사님, 번호표가 없어서 순번 놓칠까봐 화장실도 못가고 이러고 있네요."
"1시간 전에 왔지만, 상담 인원이 너무 많아 지금까지 대기 중입니다."
"부동산 세금 때문에 잠이 안와요…."

8·2 대책 발표 후 북새통을 이루는 서울 강남 어느 세무서의 납세자상담실 풍경입니다.

2채 이상 집을 가진 280만 다주택자의 밤잠을 설치게 하는 8·2 대책… 특히 '2주택만 보유해도 중과세한다'거나, '장기보유특별공제가 배제된다'는 등 정부의 다주택자 중과세 방침 때문에 "고민이 많다"는 하소연으로 상담이 시작됩니다. "세부담에 대한 압박으로 하루하루가 편하지 않다"는 말씀도 털어놓습니다.

양도·상속·증여를 전문으로 상담하는 세무사로서, 시민을 위해 작게나마 도움이 되기를 간절히 바라는 마음으로 상담실 문을 열게 됩니다.

이 책은 이렇게 세무상담실에서 일어나는 각종 양도·상속·증여 상담을 통해 한 푼이라도 절세할 수 있는 방법을 담아 출간하게 되었습니다.

또한 납세자의 권익을 보호하기 위해 서울지방국세청 국세심사를 진행하면서 생각하게 되는 절세방안도 담았습니다.

『1세대 2주택자 부동산 세금에서 살아남기』는 이러한 정보를 체계적으로 정리하였습니다.

특히 2채 이상의 주택을 보유한 1세대가 겪게 되는 부동산 중과세의 종류에는 어떤 것들이 있는지, 그리고 이를 피해나갈 수 있는 절세방안과 부동산을 매각할 때 합법적인 법체계 안에서 노련하게 절세할 수 있는 방법을 소개하였습니다.

또한 전 국민의 부동산 세금상식인 1세대 1주택 비과세에 대해 필수적인 요건을 알아보았습니다. 보유기간을 잘못 인지하거나, 양도시기를 잘못 정하거나, 주택 수 계산에 착오가 있거나, 주택의 개념을 잘못 알고 있는 등의 사유로 인하여 1세대 1주택 비과세 혜택을 받지 못하는 황당한 일은 겪지 않아야 합니다.

그리고 양도소득세 계산의 전체적인 흐름에 대해 파악해 보았습니다. 양도소득세가 산출되는 과정을 알고 있다면, 양도차익 최소화의 중요성을 알게 됩니다.

이를 통해 양도자산을 취득할 때 지출된 실질적인 증빙을 잘 갖추기 위해 노력하게 되며, 장기보유특별공제를 활용하여 절세효과를 극대화시킬 수 있습니다. 또한 미등기양도의 위험성을 인지하고, 위의 사항들과 함께 양도소득세를 보다 적극적으로 활용하게 됩니다.

가장 중요한 점은 자산을 보유하고 있는 분의 기본적인 부동산 지식과 더불어 취득이나 양도를 하기 전 전문세무사와의 상담을 통해 합법적인 절세를 할 수 있는 길을 미리 계획하고 만들어야 한다는 것입니다.

다양한 세무상담을 하다보면, 양도소득세 절세비법을 미처 알지 못해 내지 않아도 되는 세금을 납부하게 되거나, 잘못 알고 있는 부동산 지식으로 자산을 매매하여 양도소득세를 고지받는 경우 등의 안타까운 사례를 자주 보게 됩니다.

『1세대 2주택자 부동산 세금에서 살아남기』를 통해 합리적인 절세과정을 파악하고 전문세무사와의 사전 상담을 통해, 최소한 내지 않아도 되는 세금을 예방하여 소중한 재산을 지켜나가시길 바랍니다.

이 책이 발간되는데 많은 관심과 응원을 실어주신 삼일인포마인 대표님과 상무님 그리고 관계자분들과 좋은 책이 되도록 아낌없는 고견을 쏟아준 親舊와 茶人께도 깊은 감사를 전합니다.

상당한 에너지와 집중력이 필요한 여정 속에 인터넷빛명상www.viitcafe.com의 현존하는 빛viit에너지, "풍요의 빛. 超光力"을 통해 지혜와 활기와 생기를 충전하였습니다. 이 책을 접하시는 독자제현께서도 인터넷빛명상 www.viitcafe.com과 『행복순환의 법칙』 책을 통해 살아있는 빛viit에너지를 섭취하여 행복하고 건강하며 풍요로운 일상을 만들어 보시길 권해드립니다.

언제나 큰 사랑을 담아주는 가족과 사랑하는 아들 그리고 1997년을 시작으로 20년 이상을 한결같이 '건강과 행복 그리고 풍요의 빛viit'을 담아주시고 '이 집을 찾는 사람 세금걱정은 아웃, 超光力과 함께!' 휘호를 남겨주신 빛선생님과 沈香舞의 香道와 茶의 생기를 가득 채워주신 다회회장님께 감사의 마음을 올립니다.

"이 모든 것에 감사드립니다."

沈香香氣 가득한 청담동 사무실에서

2018년 공동저자 일동

PART 1

2017년 8 · 2 대책 + 2018년 9 · 13 대책 + 2019년 12 · 16 대책 + 2020년 7 · 10 대책 + 2021년 양도소득세 개정세법

1세대 2주택자 부동산 세금에서 살아남기 • 18

PART 2

부동산 중과 NO! 양도소득세 줄일 수 있는 방법은?

합법적인 절세 전략 11가지 알아두기 • 74

PART 3

1세대 2주택자·3주택자·다주택자 부동산 세금에서 살아남기!

나는 중과대상인가?

1. 1세대 2주택자 부동산 세금에서 살아남다! • 90
2. 1세대 3주택자 "양도폭탄"에서 생존하다! • 96
3. 1세대 2주택자 중과세금이 도대체 무엇이길래… • 100
4. 1세대 3주택자 중과세 그것이 알고 싶다! • 110
5. 1세대 2·3주택자 부동산 세금 왜 이리 복잡해? • 113
6. 조정대상지역의 세금 분석 • 123
7. 투기과열지구의 세금 분석 • 129
8. 투기지역 세금 분석 • 136
9. 어쩌다가 종부세 폭탄? • 143

내 집은 몇 채인가?

1. 1세대 3주택자 주택 수 판정 방법 • 150
2. 1세대 2주택자 주택 수 판정 방법 • 166
3. 1주택+조합원입주권자 주택 수 판정 방법 • 175

PART 4

전 국민의 부동산 세금 상식! 1세대 1주택 비과세

1. 1세대 1주택의 의미 • 182
2. 1세대 1주택 양도소득세 비과세 요건 • 184
3. 1세대 1주택자 조합원입주권 비과세 • 194
4. 1세대 2주택자 비과세 특례 • 198
5. 다가구주택 & 다세대주택 & 오피스텔 • 212

PART 5

양도소득세 계산구조! 그것이 알고 싶다

1. 양도 개념과 양도소득 • 218
2. 양도소득 과세대상자산 & 양도차·손익의 통산 • 221
3. 장기보유특별공제 • 228
4. 취득시기와 양도시기 그리고 보유시기의 중요성 • 233
5. 미등기 양도자산의 위험성 • 235
6. 양도소득세 세액계산 흐름도 • 237
7. 양도소득세 계산구조 • 242
8. 양도소득세율 알아두기 • 250
9. 양도소득세 가산세 주의! • 254
10. 거짓 계약서 작성 시 양도소득세 비과세·감면배제 • 256
11. 양도소득세 신고·납부 및 제출서류 • 260
12. 납세자 구제 절차 • 265

PART 1

2017년 8 · 2 대책 +
2018년 9 · 13 대책 +
2019년 12 · 16 대책 +
2020년 7 · 10 대책 +
2021년 양도소득세 개정세법

Chapter 1

1세대 2주택자 부동산 세금에서 살아남기

Kim Yeon Ju & Lim Jun Chan

정부는 2017년 8·2 대책을 시작으로 수많은 부동산 대책을 발표하여 왔다.

다주택자의 주택임대사업 양성화를 유도하고 실질적인 주택보유 현황을 파악하기 위하여 과도한 세제지원책을 부동산 시장에 제안하였다. 그 결과 오히려 지가상승이 예상되는 조정대상지역에 투기세력까지 끌어들이는 결과를 초래하여 2018년 9·13 대책으로 주택임대사업자의 혜택을 전폭적으로 삭제하기에 이르렀다.

2020년 7·10 발표된 부동산 대책은 다주택자의 단기거래에 대한 부동산 세제강화와 임대등록사업제도 보완을 통한 주택시장 안정화이다.

조정대상지역의 취득세 중과규정을 강화하고 종합부동산세의 세율을 인상하였다. 더불어 2021년 6월 1일부터 조정대상지역의 2주택자는 기본세율에 20%가 가산되고, 3주택자는 30%가 할증되어 과세표준이 10억 원을 초과하면 최대 75%의 세율 직격탄을 맞게 되었다.

그동안 많은 재산가들이 재산세 및 종합부동산세의 납세의무자가 수탁자인 점을 감안하여 신탁회사를 통해 다주택신탁을 맡기고 종합부동산세 절세를 활용하여 왔으나, 세법개정을 통하여 부동산 신탁 시 재산세와 종합부동산세 등 보유세 납세자를 수탁자(신탁자)에서 원소유자(위탁자)로 변경하였다.

2020년 7·10 대책으로 단기임대주택 등록이 불가능하며, 단기임대주택의 장기일반민간임대주택으로의 전환이 되지 않는다. 그리고 아파트는 장기일반민간임대주택 등록을 할 수 없으며, 아파트를 제외한 주택(다세대, 다가구, 단독주택, 오피스텔 등)의 장기일반민간임대주택의 등록은 가능하다. 장기임대주택의 경우 최소 의무기간이 8년에서 10년으로 임대의무기간이 연장된다. 단기 및 장기일반민간임대주택으로 등록된 임대주택의 임대의무기간 경과 후에는 임대등록이 자동 말소된다. 이는 장기임대등록을 통한 세입자의 주거안정과 아파트의 투기과열을 방지하기 위해 더 이상의 임대주택에 대한 혜택을 지원하지 않는 제재로 보여진다.

민간임대주택특별법 & 소득세법 & 조세특례제한법

구청에서 임대사업자등록만 하면 다양한 세제혜택을 다 받을 수 있는 것으로 잘못 알고 있는 경우가 많다. 주택과 관련하여 다양한 법규가 얽혀 있으며, 조세특례제한법상의 요건을 충족하여야만 50% 또는 70%의 장기보유특별공제를 적용받을 수 있다. 또한 2년 이상 거주한 주택을 양도할 때 임대주택이 주택 수에서 제외되기 위해서는 소득세법상의 장기임대주택의 요건을 충족하여야 한다.

(1) 민간임대주택특별법이란

민간임대주택의 건설, 공급 및 관리와 민간 주택임대사업자 육성에 관한 사항을 정하여 민간임대주택의 공급을 촉진하고 국민의 주거생활을 안정시키는 것을 목적으로 하는 법규이다.

주의할 사항은 민간임대주택특별법은 세법상 각종 감면과 공제를 위한 요건이나 규정이 아니라, 지방자치단체에 등록하게 되는 임대주택의 종류와 임대등록요건, 임대등록절차 및 임대사업의 의무규정과 이를 위반할 경우 과태료 등에 대한 사항을 규정하고 있다.

그리고 임대사업을 통한 각종 세액공제 및 감면, 종합소득세 감면 등과 관련된 사항은 소득세법, 소득세법 시행령, 조세특례제한법에 따른 세법상의 임대사업자 요건을 충족할 때 적용되는 것이다.

(2) 소득세법상 장기임대주택이란

「소득세법」 제168조에 따른 사업자등록과 「민간임대주택에 관한 특별법」 제5조에 따른 임대사업자등록(이하 '사업자등록등')을 한 거주자가 장기일반민간임대주택 등으로 10년 이상 임대하는 주택으로서 해당 주택 및 이에 부수되는 토지의 기준시가 합계액이 해당 주택의 임대개시일 당시 6억 원(수도권 밖의 지역인 경우 3억 원)을 초과하지 않고 임대료 등의 증가율이 100분의 5를 초과하지 않는 주택을 말한다.

2020년 7·10 대책으로 단기임대주택 등록이 불가능하며 단기임대주택의 장기일반민간임대주택으로의 전환이 되지 않는다. 그리고 아파트는 장기일반민간임대주택 등록을 할 수 없으며, 아파트를 제외한 주택(다세대, 다가구, 단독주택, 오피스텔 등)의 장기일반민간임대주택의 등록은 가능하다. 장기임대주택의 경우 최소 의무기간이 8년에서 10년으로 임대의무기간이 연장된다. 단기 및 장기일반민간임대주택으로 등록된 임대주택의 임대의무기간 경과 후에는 임대등록이 자동 말소된다.

(3) 조세특례제한법상 장기일반민간임대주택(구 준공공임대주택)이란

2018년 9·13 대책 이후 취득하는 주택은 임대 개시 당시 기준시가가 6억 원(수도권 외 지역은 3억 원) 이하 요건과 국민주택규모 면적기준을 충족한 8년 임대를 등록한 임대주택을 말한다.

이러한 요건을 충족한 주택은,

조세특례제한법 제97조의5 규정: 취득일로부터 3개월 이내 장기일반민간임대주택으로 등록하고 10년 이상 임대 후 양도하면 조세특례제한법 제97조의5 양도세 100%가 감면된다. 다만, 2018. 12. 31.까지 임대업을 등록한 사업자에 한하여 적용되는 일몰규정이다.

조세특례제한법 제97조의3 규정: 장기일반민간임대주택으로 등록한 주택으로서 8년 이상 임대하고 양도하는 경우 50%의 장기보유특별공제율, 10년 이상 임대 후 양도하는 경우 장기보유특별공제율 70%가 적용된다. 다만, 세법개정으로 2020. 12. 31.까지 임대업을 등록한 사업자에 한하여 적용되는 일몰규정이다.

따라서 민간임대주택법상의 시·군·구청에 임대사업을 등록했다는 이유만으로 세법상의 각종 세액공제 및 감면을 적용받는 것이 아니다. 소득세법과 조세특례제한법상의 세법상 요건, 임대사업자 요건 등에 부합될 때 양도소득세의 장기보유특별공제, 양도세 감면, 종합소득세 감면 등을 적용받는 것이므로 주의하여야 한다.

2017년 8.2 대책을 시작으로 발표된 부동산 대책의 양도소득세 파급효과!

2017년 8·2 대책을 시작으로 발표된 정부의 부동산 대책 중 주택을 양도하는 경우 납세자에게 미치는 중과세 파급 효과와 더불어 전 국민의 관심사인 1세대 1주택 비과세를 충족하기 위한 요건 등을 요약 정리하였다.

〈2017년 8·2 대책을 시작으로 발표된 부동산 대책의 양도소득세 파급효과〉

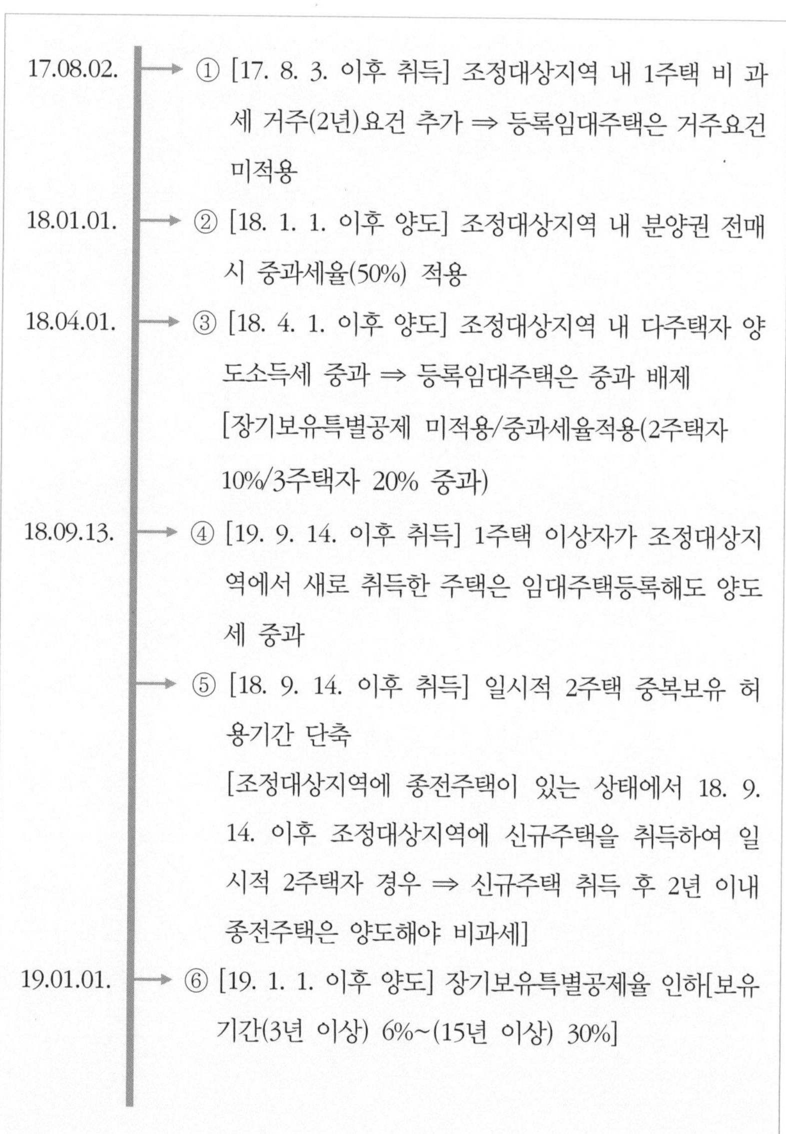

19.12.16. → ⑦ [19. 12. 17. 이후 임대등록] 등록임대주택도 2년 거주해야 비과세

→ ⑧ [19. 12. 17. 이후 취득] 취득일로부터 1년 이내 신규주택전입, 1년 이내 기존주택 양도

→ ⑨ [19. 12. 17.~20. 6. 30. 양도] 10년 이상 보유한 주택, 한시적 중과배제

20.01.01. → ⑩ [20. 1. 1. 이후 양도] 고가(실거래가 9억 원 초과) 1주택 장기보유공제 요건강화 [2년 이상 거주 : 24~80%/2년 미만 거주 : 6~30%]

21.01.01. → ⑪ [21. 1. 1. 이후 양도] 다주택자의 최종 1주택 비과세요건 강화 [최종 1주택 보유한 날로부터 보유기간을 기산함]

→ ⑫ [21. 1. 1. 이후 양도] 고가주택 장기보유특별공제 시 거주기간 추가

[보유기간 3년 이상: 12%, 10년 이상 40% (+)거주기간 3년 이상: 12%~10년 이상 40%]

→ ⑬ [21. 1. 1. 이후 양도] 다주택자 양도세 중과 시 분양권은 주택수 포함

21.06.01. → ⑭ [21. 6. 1. 이후 양도] 조정대상지역 내 다주택자 양도소득세 중과율 상향조정(2주택자 20%/3주택자 30% 중과)

→ ⑮ [21. 6. 1. 이후 양도] 조정대상지역에 관계없이 분양권을 1년 이내 양도 시 70%, 1년 이후 양도 시 60% 세율

2020년 7월 10일 발표된 「부동산 대책」의 핵심내용은 무엇일까?

7·10 대책의 주요 내용은 다주택자의 단기거래에 대한 부동산 세제강화와 임대등록사업제도 보완을 통한 주택시장 안정화이다.

조정대상지역의 취득세 중과규정을 강화하고 종합부동산세의 세율을 인상하였다. 더불어 2021년 6월 1일부터 조정대상지역의 2주택자는 기본세율에 20%가 가산되고 3주택자는 30%를 할증되어, 과세표준이 10억 원을 초과하면 최대 75%의 세율 직격탄을 맞게 되었다.

그동안 많은 재산가들이 재산세 및 종합부동산세의 납세의무자가 수탁자인 점을 감안하여 신탁회사를 통해 다주택신탁을 맡기고 종합부동산세 부담을 줄여 왔으나, 세법개정을 통하여 부동산 신탁 시 재산세와 종합부동산세 등 보유세 납세자를 수탁자(신탁자)에서 원소유자(위탁자)로 변경하였다.

2020년 7·10 대책으로 단기임대주택 등록이 불가능하며 단기임대주택의 장기일반민간임대주택으로의 전환이 되지 않는다. 그리고 아파트는 장기일반민간임대주택 등록을 할 수 없으며, 아파트를 제외한 주택(다세대, 다가구, 단독주택, 오피스텔 등)의 장기일반민간임대주택의 등록은 가능하다. 장기임대주택의 경우 최소 의무기간이 8년에서 10년으로 임대의무기간이 연장된다. 단기 및 장기일반민간임대주택으로 등록된 임대주택의 임대의무기간 경과 후에는 임대등록이 자동 말소된다. 이는 장기임대등록을 통한 세입자의 주거안정과 아파트의 투기과열을 방지하기 위해 더 이상의 임대주택에 대한 혜택을 지원하지 않는 제재로 보여진다.

2021년 양도소득세 개정세법의 내용을 살펴보면 다음과 같다.

01 다주택자의 조정대상지역 내 추가과세 세율 인상

2021년 6월 1일부터 조정대상지역 내 2주택을 보유한 자가 주택을 양도하는 경우 기본세율에 20%를 가산하고, 3주택에 해당되는 경우는 기본세율에 30%를 가산하여 세율을 적용한다.

3주택자의 경우 양도소득세 과세표준이 10억 원을 초과하면 최대 75%의 세율을 부담하게 된다.

02 단기양도에 따른 중과세율 인상

2021년 6월 1일부터 주택 및 조합원입주권을 1년 이내 양도하는 경우 70%, 2년 이내 60%, 2년이 경과한 후 양도하는 때에는 기본세율을 적용한다. 조정대상지역에 관계없이 분양권을 1년 이내 단기양도하는 경우 70%, 1년 경과 후 양도하는 때에는 60% 세율이 적용된다.

03 1세대1주택(실거래가 9억 원 초과)에 대한 장기보유특별공제율 적용 시 거주기간 추가

2021. 1. 1. 이후 양도하는 주택의 장기보유특별공제를 적용하는 경우 종전의 3년 이상 보유만하여도 적용하였던 8%의 장기보유특별공제율이 거주기간의 요건이 추가되어, 보유기간(4%)별 거주기간(4%)별로 나누어 계산된다.

기간(년)		3~4	4~5	5~6	6~7	7~8	8~9	9~10	10년 이상
종전 (%)	보유	24	32	40	48	56	64	72	80
2021년 (%)	보유	12	16	20	24	28	32	36	40
	거주	12	16	20	24	28	32	36	40
	합계	24	32	40	48	56	64	72	80

04 법인이 주택등 양도 시 추가과세 세율 인상

법인이 주택, 별장, 비사업용 토지 등을 양도하면 법인세 외에 양도차익에 대해 종전에는 10% 법인세를 추가 납부하였으나 2021. 1. 1. 이후 양도분부터 20% 세율이 적용된다. 법인이 양도하는 조합원입주권과 분양권에 대해서도 2021년부터 과세대상에 포함된다.

05 다주택자에 대한 종합부동산세율 인상

종합부동산세율을 부담하고, 3주택 이상 또는 조정대상지역의 2주택자는 1.2~6.0% 종합부동산세율을 적용받는다.

조정대상지역의 2주택자는 종합부동산세 세부담상한선이 200%에서 300%로 인상된다.

법인은 종전에는 법인이 보유한 주택 수에 따라 0.6~4.0%의 단계별 종합부동산세를 과세하였으나 2021년부터 2주택자(조정대상지역 1주택자 포함)는 3%, 3주택자(조정대상지역 2주택자 포함)는 4%의 단일 비례세율을 부담한다.

2021년 법인의 종합부동산세 과세표준을 계산할 때 보유주택에 대한 6억 원 공제를 폐지하고 종합부동산세 상한선을 폐지한다.

시 가 (다주택자기준)	과 표	2주택 이하 or 조정대상지역 1주택(%)		3주택 이상 or 조정대상지역 2주택(%)		
		종전	12.16	종전	12.16	7.10
8~12.2억 원	3억 원 이하	0.5	0.6	0.6	0.8	1.2
12.2~15.4억 원	3~6억 원	0.7	0.8	0.9	1.2	1.6
15.4~23.3억 원	6~12억 원	1.0	1.2	1.3	1.6	2.2
23.3~69억 원	12~50억 원	1.4	1.6	1.8	2.0	3.6
69~123.5억 원	50~94억 원	2.0	2.2	2.5	3.0	5.0
123.5억 원 초과	94억 원 초과	2.7	3.0	3.2	4.0	6.0

06 종합부동산세 고령자세액공제 및 장기보유세액공제 한도 확대

종합부동산세를 계산할 때 1세대 1주택을 보유한 고령자에 대한 고령자 세액공제 한도가 증가하고, 고령자 세액공제와 장기보유에 따른 세액공제 비율이 상향되었다.

고령자 공제를 받을 수 있는 기준은 만 60세(2021년 기준 1961년생)이다. 2021년부터 만 60세부터 64세까지는 종부세액의 20%, 만 65세부터 69세까지는 30%, 만 70세 이상부터는 40%를 공제받는다.

장기보유에 따른 공제율은 종전과 동일한 공제율이 적용된다. 5~9년 보유 시 20%, 10~14년 보유 시 40%, 15년 이상 보유하는 경우에는 50%의 공제율을 적용받는다.

고령자 공제와 장기보유 공제의 중복 적용이 가능하며, 고령자 공제율과 장기보유 공제율을 합쳐서 80%까지 적용받을 수 있다.

1주택자 고령자 공제율 및 장기보유 공제율

고령자 공제율			장기보유 공제율		
연령	종전	2021년	보유기간	종전	동일
60~64세	10%	20%	5~9년	20%	20%
65~69세	20%	30%	10~14년	40%	40%
70세 이상	30%	40%	15년 이상	50%	50%

고령자 공제율과 장기보유 공제율

공제한도 상향	종전	2021년
고령자 공제율 + 장기보유 공제율	70%	80%

07 취득세 중과 규정 강화

세법개정으로 개인은 2주택자의 경우 8%, 3주택 이상인 때에는 12%의 취득세를 부담한다. 조정대상지역에서 3억 원을 초과하는 주택을 증여하는 경우 12%의 취득세율을 적용한다.

법인은 주택가액이나 주택 수에 관계없이 12%의 취득세율로 과세된다.

<table>
<tr><th colspan="3">종전</th></tr>
<tr><td rowspan="4">개인</td><td>1주택</td><td rowspan="3">주택 가액에 따라 1~3%</td></tr>
<tr><td>2주택</td></tr>
<tr><td>3주택</td></tr>
<tr><td>4주택 이상</td><td>4%</td></tr>
<tr><td colspan="2">법인</td><td>주택 가액에 따라 1~3%</td></tr>
</table>

<table>
<tr><th colspan="3">2021년</th></tr>
<tr><td rowspan="4">개인</td><td>1주택</td><td>주택 가액에 따라 1~3%</td></tr>
<tr><td>2주택</td><td>8%</td></tr>
<tr><td>3주택</td><td rowspan="3">12%</td></tr>
<tr><td>4주택 이상</td></tr>
<tr><td colspan="2">법인</td></tr>
</table>

법인전환 시 취득세 감면을 제한하는바, 개인에서 법인으로 현물출자를 하는 부동산 매매 및 임대법인은 현물출자에 따른 취득세 감면을 배제한다.

08 조정대상지역 및 투기과열지구 추가선정

(2020. 12. 18. 현재)

구분	조정대상지역	투기과열지구
서울	서울시 전 지역 25개구 강남, 서초, 송파, 강동, 용산, 성동, 노원, 마포, 양천, 영등포, 강서, 구로, 금천, 동작, 관악, 은평, 서대문, 종로, 중구, 성북, 강북, 도봉, 중랑, 동대문, 광진	전 지역
경기도	과천시, 성남시, 하남시, 화성시 동탄, 광명시, 구리시, 안양시 동안·만안, 광교지구, 수원시 팔달·장안·영통·권선, 용인시 기흥·수지, 의왕시, 고양시, 남양주시, 화성시, 군포시, 안성시, 부천시, 안산시, 시흥시, 용인시 처인, 오산시, 평택시, 광주시, 양주시, 의정부시, 김포시, 파주시	과천시, 성남시 분당, 광명시, 하남시, 수원시, 성남시 수정, 안양시, 안산시 단원, 구리시, 군포시, 의왕시, 용인시 수지·기흥, 동탄
인천	중, 동, 미추홀, 연수, 남동, 부평, 계양, 서	연수, 남동, 서
대전	동, 중, 서, 유성, 대덕	동, 중, 서, 유성
대구	수성, 중, 동, 서, 남, 북, 달서, 달성군	수성
세종특별시	세종특별자치시	세종특별자치시
충북	청주	
부산	해운대, 수영, 동래, 남, 연제, 서, 동, 영도, 부산진, 금정, 북, 강서, 사상, 사하	
광주	동, 서, 남, 북, 광산	
울산	중, 남	
충남	천안시 동남, 서북, 논산시, 공주시	
전북	전주시 완산, 덕진	
전남	여수시, 순천시, 광양시	
경북	포항시 남, 경산시	
경남	창원시 성산	창원시 의창

09 장기일반민간임대주택 등에 대한 양도소득세 특례 적용기한 단축(조특법 제97조의3 제1항)

세법개정으로 장기일반민간임대주택의 장기보유특별공제 특례의 적용기한이 2020년 12월 31일까지 요건을 갖춘 장기임대등록을 신청한 경우에 적용된다. 장기보유특별공제 특례는 임대사업자 등록 이후의 임대기간으로 한정되며, 2022년 12. 31.까지의 기간에서 2년 단축되었다.

2019년 12월 16일 발표된 「주택시장 안정화 방안」에는 어떤 내용들이 담겨있는 것일까?

핵심은 투기수요 억제와 실수요자 공급확대를 통한 주택시장 안정화를 위한 방안이다.

투기지역 등의 주택담보대출 관리강화를 통한 대출수요규제를 강화하고, 전세대출을 이용한 갭투자를 방지하고자 한다. 종합부동산세의 세율을 인상하고 공시가격 현실화를 통한 형평성을 제고하며, 이를 통한 주택보유에 따른 보유부담이 강화된다. 1세대 1주택 비과세의 요건에 거주기간이 추가되어 실거주자에 대한 비과세를 보다 엄격하게 적용하는 결과를 가져온다. 즉, 2년 이상 거주한 자에 한하여 1주택자 장기보유특별공제를 허용하며, 1주택자의 장기보유특별공제율을 거주기준과 보유기간을 구분하여 적용한다. 일시적 2주택자 비과세의 조건으로 전입기간을 추가하고 2주택에 대해 중복 보유기간이 단축된다. 그리고 임대주택으로 등록한 주택을 비과세받기 위해서는 거주요건을 충족하여야 하며, 조정대상지역에서 보유하는 주택 수를 판단할 때 분양권도 포함하여 주택 수를 계산한다. 2년 미만 보유하는 주택과 조합원입주권의 양도소득세율을 인상하였다. 이외에도 부동산 매매법인의 탈루혐의를 정밀검증하며 조정대상지역 내 3억 원 이상, 그 외의 지역에 6억 원 이상의 주택을 구입하는 경우 자금조달 계획서를 제출하여야 한다. 한시적으로 2020년 6월 30일까지 조정대상지역에서 10년 이상 보유한 주택을 양도하는 경우 양도소득세 중과를 배제하고 장기보유특별공제를 적용한다.

01 다주택자의 조정대상지역 내 양도소득세 한시적 중과배제

다주택자의 조정대상지역 내 양도소득세 규제는 다주택자가 조정대상지역 내에 주택을 양도하는 경우 양도소득세가 중과되고(2주택자 10%, 3주택자 20% 가산) 장기보유특별공제 적용이 배제된다. 이러한 다주택자에 대한 양도세 중과로 양도차익이 큰 주택을 보유하는 경우 무거운 양도세로 인해 매매가 불가한 경우가 많고, 수요에 비해 공급이 현저히 부족한 현실을 반영하여 다음과 같은 규정을 도입하였다.

다주택자가 조정대상지역 내에서 10년 이상 보유한 주택을 2019년 12월 17일(대책 발표일 다음 날부터)부터 2020년 6월 말까지 양도하는 경우 한시적으로 양도소득세 중과를 배제하고 장기보유특별공제를 적용한다.

이때 장기보유특별공제는 연간 2%의 공제율을 적용한다. 8%의 장기보유특별공제율은 1세대 1주택 비과세 요건을 갖추었으나, 양도소득세가 과세되는 경우에만 적용한다.

02 2022. 1. 1. 이후 양도하는 고가 겸용주택의 주택 외 부분인 상가부분의 과세 합리화

하나의 건물이 주택과 상가로 구성된 겸용주택에 해당되고 주택면적이 상가면적보다 큰 경우로서, 비과세 요건을 충족하는 경우에는 건물 전부를 주택으로 보아 건물 전체의 양도차익에 대해 2021년까지 비과세 규정을 적용한다.

다만, 9억 원을 초과하는 고가주택의 경우는 양도차익 중 9억 원 이하는 비과세되고 9억 원 초과분은 기본세율로 과세된다. 이때 장기보유특별공제액은 2020년 이후 양도하는 경우 2년을 반드시 거주해야만 연간 8%의 장기보유특별공제(10년×8%=80%까지 공제)가 적용된다.

그러나 세법개정으로 인해 2022년부터 주택면적이 더 크더라도, 해당하는 주택부분에 대해서만 주택으로 보아 비과세를 적용하므로, 주택이 아닌 상가부분에 대해서는 양도소득세를 과세한다. 따라서 겸용주택이 비과세 요건을 갖추더라도, 상가부분과 상가부수토지는 더 이상 주택으로 보지 아니하며 상가부분은 과세대상이 된다.

겸용주택의 경우 2021년까지 양도하는 경우에 한하여 주택면적이 상가면적보다 큰 경우 전체를 주택으로 보아 비과세를 적용받을 수 있으므로, 겸용주택 소유자는 이 규정을 적극 활용할 가치가 있다.

03 수도권 도시지역의 부수토지 범위 축소

비과세되는 1세대 1주택의 부수토지 범위가 종전에는 주택 정착면적의 5배였다. 세법개정으로 수도권 도시지역의 부수토지 범위가 조정되어 수도권 도시지역의 경우 주택 정착면적의 3배, 수도권 밖의 도시지역은 5배를 주택부수토지로 본다.

04 주택 수 계산 시 공동주택 소수지분자도 주택 수에 포함

종전에는 공동소유 주택은 지분이 가장 큰 자의 주택으로 보아 소수지분자의 지분은 주택 수에 포함하지 않았다. 이때 지분이 가장 큰 자가 둘 이상인 경우에는 공동소유자 간의 합의에 따라 신고한 자의 주택으로 보며, 합의가 없는 경우에는 각각의 소유로 계산하였다.

세법개정을 통하여 2020년 귀속분부터 다음의 요건이 충족된 경우에는 소수지분자의 지분도 주택으로 보아 주택 수에 포함된다.

일정 지분을 소유한 주택에서 발생하는 임대소득이 연간 600만 원 이상이거나 주택기준시가가 9억 원을 초과하는 고가주택으로서, 그 주택의 지분을 30% 초과하는 공유지분을 소유하는 경우 소수지분자의 지분도 주택으로 간주된다.

동일주택을 부부가 일정 지분 이상 소유한 경우 다음 순서로 부부 중 1인의 소유주택으로 계산한다. 부부 중 지분이 더 큰 자의 소유주택으로 보며, 부부의 지분이 동일한 경우에는 부부 사이의 합의에 따라 소유주택에 가산하기로 한 자의 1인의 소유주택으로 계산한다.

05 2021. 1. 1. 이후 조정대상지역 내 다주택자 여부를 판단하는 주택 수 계산 시 분양권도 주택 수에 포함

조정대상지역 내 다주택자 여부를 판단하는 주택 수 계산 시 분양권이 포함된다.

세법개정으로 2021. 1. 1. 이후부터 조정대상지역 내 다주택자 중과 여부를 판단하는 주택 수를 계산하는 때에 분양권을 주택 수에 포함하여 판단한다.

2020년까지 조정대상지역 내 다주택자 주택 수를 판단하는 경우, 조합원입주권은 주택 수에 포함하나 분양권은 제외한다.

2018년 9. 13. 부동산 대책에 따른 대출 및 청약을 하는 경우 분양권을 주택 수에 포함하고 있으나, 세제상 다주택자 여부를 판단하는 경우에 분양권은 주택 수에 포함시키지 아니하였다.

그러나 2021. 1. 1. 이후 양도분부터는 다주택자가 조정대상지역 내 주택을 양도하는 경우 양도소득세 중과를 위한 주택 수에 분양권을 포함하여 중과여부를 판단한다.

06 주택과 조합원입주권의 단기양도 시 양도소득세율의 중과세율 적용

2020년 현재는 주택과 조합원입주권을 취득일로부터 1년 이내에 양도하는 경우 40%의 중과세율을 적용하고, 취득일로부터 1년 이후에 양도하는 경우 기본세율(6~42%)을 적용한다. 주택 외의 부동산인 토지, 건물, 분양권을 1년 이내에 양도하는 경우 50%, 2년 이내에 양도하는 경우 40%를 적용한다.

그러나 세법개정을 통해 2021. 1. 1. 이후 주택과 조합원입주권을 단기양도하는 경우 1년 이내 50%, 2년 이내 40%의 중과세율을 적용하는바, 이는 주택과 조합원입주권을 토지 등의 단기양도 세율과 일치하도록 한 것이다.

구분		주택 외 부동산	주택 및 조합원입주권	
			현행	개정(2021. 1. 1. 이후)
보유기간	1년 미만	50%	40%	50%
	2년 미만	40%	기본세율	40%
	2년 이상	기본세율	기본세율	기본세율

07 종합부동산세의 강화 & 주택공시가격 현실화 & 세부담 상한비율 300%

현재 3주택 이상이거나 조정대상지역 내에 2주택 이상을 보유한 경우 주택분 종합부동산세의 세율은 0.6~3.2%이다. 세법개정을 통해 0.2~0.8%가 추가되어 보유세 부담이 증가한다.

2019년 주택가격 공시부터 과세 형평성을 고려하여 실질적인 시세를 과표에 반영하고자 하나, 과표 현실화 반영률은 70% 미만이다. 2020년 주택가격을 공시할 때는 최근 시세 변동률을 공시가격에 반영하고, 특히 고가주택을 중심으로 현실화율을 적용할 예정이다.

2002년 90%, 2021년 95%, 2022년 100%까지 인상한다.

부동산 가격급등으로 보유세의 급격한 부담이 증가하고 있다. 이러한 부담을 최소화하고자 전년도에 납부한 보유세의 일정비율을 초과하는 금액에 대해서는 보유세를 부과하지 아니한다. 이를 세부담 상한

비율이라 한다. 즉, 기존의 주택가격이 상승함에 따라 부동산 보유에 따른 재산세와 종합부동산세의 부담이 증가하는데, 주택가격 급등으로 인해 전년도에 납부한 보유세의 일정비율을 초과하는 금액에 대해서는 보유세를 부과하지 아니하는 것을 말한다.

세법개정을 통하여 조정대상지역 내에 2주택을 보유한 경우 세부담 상한선을 200%에서 300%로 확대한다.

08 소형주택 임대사업자의 세액감면율의 축소 및 적용기한의 연장

2021. 1. 1. 이후 발생하는 일정 요건의 임대소득에 대해 다음과 같이 세액 감면율을 적용한다.

다만, 2020년 귀속되는 주택임대소득에 대해서는 현행규정인 장기일반 75%, 단기임대 30%의 감면율을 적용한다.

즉, 조세특례제한법 제96조에 따른 임대주택인 국민주택규모 이하의 주택으로 임대 개시 당시 기준시가 6억 원 이하의 주택으로 연간 임대료 증가율이 5% 이하이고 지방자치단체와 세무서에 임대사업자 등록을 한 임대주택을 말한다.

2019. 12. 31.까지 감면적용기한을 2022. 12. 31.까지 연장하고 8년 이상 장기일반민간임대주택 75% 감면율을 50%로, 그 외 4년 단기임대주택 30% 감면율을 20%로 축소하여 감면율을 적용한다.

09 조정대상지역의 변경

2019. 11. 8. 기준으로 부산광역시, 남양주시, 고양시 등이 조정대상지역에서 해제되었다.

2019. 2. 21. 현재 조정대상지역은 다음과 같다.

구분	조정대상지역
서울	서울시 전 지역 25개구 강남, 서초, 송파, 강동, 용산, 성동, 노원, 마포, 양천, 영등포, 강서, 구로, 금천, 동작, 관악, 은평, 서대문, 종로, 중구, 성북, 강북, 도봉, 중랑, 동대문, 광진
경기도	과천시, 성남시, 하남시, 화성시 동탄, 광명시, 구리시, 안양시 동안구·만안구, 광교지구, 수원시 팔달구·장안구·영통구·권선구, 용인시 기흥구·수지구, 의왕시 고양시: 삼송, 원흥, 지축, 향동, 덕은지구, 킨텍스 지원단지, 관광문화단지 등 7개 지구를 제외한 고양시 전역의 조정대상지역 해제 남양주시: 다산동, 별내동을 제외한 전역 해제
세종특별시	세종특별자치시(신행정수도 후속대책을 위한 연기·공주지역 행정중심복합도시 건설을 위한 특별법 제2조 제2호에 따른 예정 지역으로 고시된 지역에 한정)
	행정중심복합도시 예정 지역(건설교통부) • 연기군 - 금남면 반곡리·봉기리·석교리·석삼리 전 지역 / 대평리·부용리·성덕리·신촌리·영곡리·용포리·장재리·호탄리·황용리 일부 지역 - 남면 갈운리·고정리·나성리·방축리·송담리·송원리·양화리·월산리·종촌리·진의리 전 지역 / 보통리·연기리 일부 지역 - 동면 용호리 전 지역 / 문주리·합강리 일부 지역 • 공주시 - 장기면 당암리 전 지역 / 금암리·산학리·합강리 일부 지역 - 반포면 원보리 일부 지역
부산	모두 해제

10 1세대 1주택자의 장기보유특별공제 시 거주기간 요건이 추가되어 거주기간별 & 보유기간별 구분하여 장기보유 특별공제율을 적용

2018년 말 세법개정으로 2020년 1월 1일 이후 고급주택에 해당하는 1세대 1주택을 양도하는 주택에 대해서는, 양도하는 주택에서 2년 이상 거주한 경우에 한하여 보유기간에 따라 연간 8%(10년 이상 보유 시 최대 80%)의 장기보유특별공제를 적용한다.

고가주택에 해당되지 아니하는 1세대 1주택자는 비과세 대상이나 실거래가액이 9억 원을 초과하는 고가주택의 경우에는 양도차익 중 9억 원을 초과하는 양도차익분에 대해서는 양도세가 과세되며, 보유기간에 따른 장기보유특별공제(10년 이상 보유 시 최대 80%)를 양도차익에서 차감한다.

장기보유특별공제는 보유기간이 3년 이상인 토지, 건물, 조합원입주권을 양도하는 경우 양도차익에서 보유기간에 따른 장기보유특별공제를 차감하여 양도소득금액을 계산한다. 조합원입주권의 경우 관리처분계획인가 전의 양도차익에 한하며, 조합원으로부터 입주권을 승계취득한 경우에는 장기보유특별공제를 적용하지 아니한다.

다만, 조정지역 내의 다주택자의 주택은 중과세율이 적용되므로 장기보유특별공제를 적용하지 아니한다(18. 4. 1. 이후 양도분부터 중과적용). 그러나, 세법개정으로 한시적으로 조정지역 내의 다주택자가 2019. 12.

17.~2020. 6. 30.까지 10년 이상 보유한 주택을 양도하는 경우에는 양도세를 중과하지 아니하며, 보유기간에 따른 2%의 장기보유특별공제를 적용한다.

2021. 1. 1. 이후 양도하는 고가주택의 1세대 1주택자는 9억 원을 초과하는 양도차익에 대한 장기보유특별공제를 적용할 때 보유기간과 거주기간을 각각 구분하여 보유기간별, 거주기간별 4%의 장기보유특별공제율을 계산한다.

1세대 1주택자(실거래가 9억 원을 초과)에 대한 장기보유특별공제율을 최대 80%(10년)를 유지하되, 거주기간 요건을 추가하여 보유기간별 장기보유특별공제율(연 4%)과 거주기간별 장기보유특별공제율(연 4%)을 구분하여 장기보유특별공제율을 적용한다.

* 연 8%의 공제율을 보유기간 4% + 거주기간 4%로 구분하여 계산
* 조정대상지역 외 다주택자의 경우에는 15년 이상 보유 시 최대 30% 장기보유특별공제가 가능

보유기간		3~4년	4~5년	5~6년	6~7년	7~8년	8~9년	9~10년	10년 이상
1주택	합계	24%	32%	40%	48%	56%	64%	72%	80%
	보유	12%	16%	20%	24%	28%	32%	36%	40%
	거주	12%	16%	20%	24%	28%	32%	36%	40%
다주택		6%	8%	10%	12%	14%	16%	18%	20~30%

장기보유특별공제율

일반장기보유 특별공제		1세대 1주택 장기보유특별공제		조세특례제한법 제97조의3(장기 일반민간임대주택) 장기보유특별공제		조세특례제한법 제97조의4 (장기임대주택등) 장기보유특별공제 추가공제율 과세특례	
보유기간	공제율(2%)	거주기간(4%)	보유기간(4%)	보유기간	공제율	보유기간	추가공제율
3년 이상 4년 미만	6%	3년 이상 4년 미만: 12%	3년 이상 4년 미만: 12%	3년 이상 4년 미만		3년 이상 4년 미만	
4년 이상 5년 미만	8%	4년 이상 5년 미만: 16%	4년 이상 5년 미만: 16%	4년 이상 5년 미만		4년 이상 5년 미만	
5년 이상 6년 미만	10%	5년 이상 6년 미만: 20%	5년 이상 6년 미만: 20%	5년 이상 6년 미만		5년 이상 6년 미만	
6년 이상 7년 미만	12%	6년 이상 7년 미만: 24%	6년 이상 7년 미만: 24%	6년 이상 7년 미만		6년 이상 7년 미만	2% 가산
7년 이상 8년 미만	14%	7년 이상 8년 미만: 28%	7년 이상 8년 미만: 28%	7년 이상 8년 미만		7년 이상 8년 미만	4% 가산
8년 이상 9년 미만	16%	8년 이상 9년 미만: 32%	8년 이상 9년 미만: 32%	8년 이상 9년 미만	50%	8년 이상 9년 미만	6% 가산
9년 이상 10년 미만	18%	9년 이상 10년 미만: 36%	9년 이상 10년 미만: 36%	9년 이상 10년 미만	50%	9년 이상 10년 미만	8% 가산
10년 이상 11년 미만	20%	10년 이상: 40%	10년 이상: 40%	10년 이상 11년 미만	70%	10년 이상 11년 미만	10% 가산
11년 이상 12년 미만	22%			11년 이상 12년 미만		11년 이상 12년 미만	
12년 이상 13년 미만	24%			12년 이상 13년 미만		12년 이상 13년 미만	
13년 이상 14년 미만	26%			13년 이상 14년 미만		13년 이상 14년 미만	
14년 이상 15년 미만	28%			14년 이상 15년 미만		14년 이상 15년 미만	
15년 이상	30%			15년 이상		15년 이상	

11 조정대상지역의 일시적 1세대 2주택 비과세 요건 강화

세법개정으로 2019. 12. 17. 이후 조정대상지역에서 주택을 취득하는 1세대 1주택자는 대체취득일로부터 1년 내에 전입하고 기존주택을 양도하여야 비과세를 적용받을 수 있다. 즉, 조정대상지역의 일시적 2주택자의 전입요건 강화와 중복보유 허용기간을 단축하였다.

조정대상지역 내 일시적으로 1세대 2주택 비과세를 적용받기 위해서는 대체주택을 취득하고 취득일로부터 1년 이내에 기존주택을 양도하고 동시에 취득일로부터 1년 이내에 대체주택에 전입하여야 한다. 2019. 12. 17. 이후부터 조정대상지역에서 신규로 취득하는 주택에 대해 적용한다.

이 규정은 기존주택과 대체주택 모두가 조정대상지역에 있는 경우에만 적용된다. 따라서 기존주택과 대체주택 둘 중에 비조정대상지역에 해당되는 주택이 있다면 종전 규정을 적용하여 대체주택 취득일부터 3년 이내에 기존주택을 양도하면 비과세 혜택을 적용받을 수 있다.

2018. 9. 13. 부동산 대책 중에서 조정대상지역의 투기세력 근절을 위하여 일시적 1세대 2주택의 대체취득 중복기간을 2년으로 단축하였다. 기존주택과 대체취득하는 주택이 모두 조정대상지역 내에 존재하는 경우에는 중복보유를 인정하는 기간이 2년이며, 그 외에 기존주택이나 대체취득하는 주택 소재지가 조정대상지역 외의 지역에 소재하는 경우에는 중복기간을 3년으로 본다.

12 2019. 12. 17.부터 조정대상지역 내 등록하는 임대주택의 2년 거주의무로 양도세 비과세 요건 강화

2019. 12. 17.부터 조정대상지역 내에서 새로 임대등록하는 주택의 경우에는 임대주택에서 2년 거주요건을 충족하여야만 해당 임대주택을 양도하는 경우 비과세 혜택을 받을 수 있다.

조정대상지역 내 임대주택으로 등록된 주택으로서 양도 당시 1주택이더라도 2년 거주해야 비과세가 적용된다. 따라서 2019. 12. 17. 이전에 등록한 임대주택은 다른 비과세 요건을 충족하고 임대의무기간을 준수하면 거주를 하지 아니하더라도 비과세 적용이 가능하다.

조정대상지역 내 1세대 1주택은 보유기간과 거주기간이 2년 이상인 경우 9억 원까지 비과세 혜택을 받을 수 있다. 이 경우 소득세법과 민간임대주택법에 따른 임대사업자등록을 한 경우 거주기간의 제한없이 비과세 혜택을 받을 수 있다. 임대주택미등록인 1주택자와의 형평성을 고려하여 2019. 12. 17.부터 새로 임대하는 주택에 대하여 2년의 거주요건을 적용한다.

2017년 8·2 대책으로 조정대상지역 내 주택을 취득하고 해당 주택을 양도하는 경우 2년 이상 거주해야 비과세를 적용하나, 일정한 요건을 충족한 경우에는 2년의 거주기간 예외를 주어 2년을 거주하지 아니하여도 비과세를 적용하였다.

13 부동산을 증축하고 증축원가를 기준시가로 신고한 경우 5%의 가산세 부과

세법개정을 통해 건물신축 외에 증축을 하여 취득원가를 환산가액으로 신고하는 경우에도 5%의 가산세를 부과한다. 통상적으로 건물을 신축하거나 증축하는 경우 기준시가를 취득가액으로 신고하고 준공 후 즉시 양도하는 경우 양도가액 또한 환산취득가액을 적용하여 양도차익이 발생하지 않도록 신고하는 경우가 많았다.

이러한 기준시가를 이용하는 조세회피를 막기 위하여 건물가액의 5%를 가산세로 징수하는 규정을 확대 신설하였다.

14 임대주택으로 등록된 주택이 주택법상 리모델링되는 경우에도 리모델링되기 전 임대기간과 리모델링된 후 임대기간을 합산하여 임대기간을 계산

도시개발정비법상 재개발이나 재건축으로 멸실되었다가 신축주택으로 준공된 경우 재개발 등을 하기 전의 임대기간과 준공 후의 임대기간을 합산하여 임대의무기간을 적용한다. 종전에는 장기일반민간임대주택의 경우 계속하여 임대를 해야 하는 규정으로 계속 임대하였으나, 리모델링 등으로 임대하는 기간이 중단된 경우에는 임대기간의 합산규정이 적용되지 아니하였다.

그러나 이번 세법개정을 통해 주택법상의 리모델링으로 임대기간이 중단되더라도, 리모델링으로 인한 공사 전후의 임대기간을 합산하여 임대기간을 계산한다.

멸실된 주택의 임대기간과 신규 취득한 주택의 임대기간을 합산하여 임대기간을 계산한다.

15 임대사업자 의무위반 강화

주택임대의무기간 중 양도하거나 임대를 하지 않는 경우 2019. 10. 24. 양도하는 임대주택에 대하여 3천만 원의 과태료를 적용한다. 주택임대사업자가 준수해야 할 의무사항 등은 다음과 같으며, 이를 위반하는 경우 과태료가 부과된다.

특히 임대기간 중에 주택을 양도하거나 임대하는 경우에는 3천만 원 이하의 과태료가 부과되므로, 지자체에 임대주택을 등록하는 때에는 신중을 기하여야 한다.

다만, 민간임대주택을 다른 임대사업자에게 양도하고 양수받은 자가 임대주택으로 등록하는 경우 3천만 원의 과태료가 변제된다. 2년 연속 적자이거나 부의 현금흐름이 발생하는 등 임대사업을 계속 영위하기가 곤란하거나 재개발·재건축 등으로 임대주택이 멸실되어 임대사업을 계속하기 어려운 경우로서 임대사업을 하지 않거나 매도하는 경우에도 과태료가 면제된다.

16 2020년부터 세무서에 반드시 주택임대사업자등록 의무

2018년 세법개정으로 주택임대사업자가 세무서에 임대업을 사업자등록을 하지 않은 경우에는 2020년부터 임대수입금액의 0.2%의 가산세를 부과한다. 2019년까지 사업자등록을 하여야 가산세를 피할 수 있다.

세법상 임대주택에 대한 세제혜택을 받기 위한 경우가 아니라면 세무서에 사업자등록만 하면 된다. 만약, 지자체에 임대사업자등록을 하는 경우에는 임대의무기간 중에는 주택매도가 원칙적으로 불가능하고, 임대기간 중 양도에 따른 과태료 및 임대기간 중 임대료 증액제한 등의 다양한 의무가 존재하므로 지자체에 임대업등록을 하는 경우 신중을 기하여야 한다.

임대사업자 의무사항 등	과태료(만 원)		
	1차 위반	2차 위반	3차 위반
등록사항 말소신고	50	70	100
임대의무기간 중 해지 또는 재계약 거부	500	700	1,000
임대차계약 무신고 및 허위신고	500	700	1,000
표준임대차계약서 미사용	500	700	1,000
오피스텔을 주거용으로 미사용	500	700	1,000
연간 임대료 5% 상한규정	500	1,000	2,000
의무임대기간 중 양도 및 임대	3,000만 원 이하		

17 상속으로 취득한 주택을 장기일반민간임대주택으로 등록한 경우 합산배제 가능

2018년 9·13 부동산 대책 발표 이후 조정대상지역 내 주택을 취득하여 장기임대주택을 등록하여도 양도세 중과배제 및 종부세 합산배제의 혜택이 주어지지 아니한다.

즉, 세법상 장기임대주택 요건인 지자체에 장기일반민간임대등록과 세무서에 사업자등록을 신청하고 8년 이상 임대의무기간과 임대 개시 당시의 기준시가 요건(수도권 6억 원, 지방 3억 원 이하) 및 5% 임대료 증액제한 요건을 모두 충족하여도 중과배제 등의 혜택을 적용하지 아니한다. 다만, 거주주택 과세특례는 요건을 충족하는 경우 적용받을 수 있다.

세법개정으로 종합부동산 합산배제 대상을 보다 명확하게 하였다. 즉, 조정대상지역의 투기근절을 위하여 추가적인 주택 구입에 대해 종합부동산세 합산배제 혜택을 적용하지 아니하는 것이므로, 상속 등으로 인해 불가피하게 발생하는 주택의 경우는 종부세 합산배제를 적용한다.

18 노후화로 인해 건물을 재건축할 때 투입되는 철거비용을 양도소득세 계산 시 비용처리

양도소득의 필요경비에는 취득가액, 자본적지출액, 용도변경 및 개량과 이용편의비용, 개발부담금, 재건축부담금, 양도신고에 따른 수수료, 공증비용, 인지대 및 소개비 등이 있다.

세법개정으로 재해나 건물 노후화 등으로 부득이한 사유가 발생하여 건물을 재건축하는 경우 발생하는 철거비용을 양도소득의 필요경비에 산입한다.

19 임대주택특례적용을 위한 제출서류의 간소화

장기임대주택 및 준공공임대주택에 대한 특례를 적용받기 위해서는 지자체에 임대사업자등록증 사본, 임대차계약서 사본, 임차인의 주민등록증 사본 또는 주민등록등본 등을 제출해야 한다. 그러나 임차인의 중요서류를 임대인이 수령하여 제출하는 것이 현실적인 어려움이 많아 실질적인 임대차 관계를 확인하기 위하여 전입세대 열람을 통해 실질을 확인할 수 있도록 개정하였다.

따라서 임차인의 주민등록증 사본이나 주민등록등본 대신 전입세대 열람 내역을 제출하는 것으로 갈음한다.

2018. 9·13 대책의 조정대상지역의 주택임대사업자 규제에는 어떤 것들이 있었을까?

건설회사를 20년 이상 다니고 있는 김상무는 부동산 투자에 귀재이다. 부동산 세금에 늘 관심이 많으며, 절세라면 자다가도 일어날 정도의 열정가득한 투자자이다.

김상무는 2주택 이상을 보유한 다주택자로서 그중 1주택 소재지가 조정대상지역인 강남구에 소재한 아파트이다. 해당 아파트를(세법상 장기임대주택 요건을 충족) 8년 이상 임대의무기간인 장기일반민간임대주택으로 지방자치단체와 세무서에 임대사업자등록을 한 경우, 김상무가 강남구의 아파트를 매매할 때 각종의 세법은 어떻게 적용받는 것일까?

01 조정대상지역에 새로 취득한 주택을 임대등록하여도 주택 양도 시 중과 & 장기보유특별공제 배제

1주택 이상자가 조정대상지역에 새로 취득한 주택은 주택임대사업자등록을 하여도 양도세를 중과한다. 즉, 조정대상지역의 주택을 매매하는 경우, 주택 수가 2주택인 자는 일반세율에 10%를 가산하고 3주택자의 경우는 일반세율에 20%를 더한 세율을 적용한다. 그리고 양도세 중과를 적용받는 경우에는 장기보유특별공제를 받지 못하기 때문에 상당한 세부담이 예상된다.

다만, 조정대상지역의 공고가 있은 날 이전에 해당 지역의 주택을 양도하기 위하여 매매계약을 체결하고 계약금을 지급받은 사실이 증빙서류에 의해 확인되는 주택은 중과적용이 배제된다.

02 조정대상지역에 주택임대등록을 하여도 종합부동산 합산과세

1주택 이상자가 조정대상지역에 새로 취득한 주택은 임대등록을 하여도 종합부동산 합산과세를 한다.

다만, 조정대상지역의 공고가 있은 날 이전에 해당 지역의 주택을 양도하기 위하여 매매계약을 체결하고 계약금을 지급받은 사실이 증빙서류에 의해 확인되는 주택은 종전 규정을 적용한다.

03 조정대상지역 1세대 1주택자의 장기보유특별공제율 적용 위한 2년 거주요건

1세대 1주택 비과세 중 고가주택(실거래가액 9억 원 초과)에 해당되는 경우 2년 이상 거주요건을 충족하여야 9억 원 초과분에 대한 연간 8%의 장기보유특별공제를 적용한다. 이 규정은 1년의 유예기간을 두어 2020년 양도분부터 2년 거주요건을 적용한다. 주택보유자의 신뢰이익 보호를 위해 1년 유예기간을 정한 것이다.

즉, 2년 미만 거주 시에는 일반 장기보유특별공제(15년, 최대 30%)를 적용하고, 2년 거주요건을 충족하는 경우에는 장기보유특별공제(10년, 최대 80%)를 적용한다.

04 조정대상지역 일시적 1세대 2주택 대체취득기간 2년

조정대상지역에 종전주택이 있고, 조정대상지역에 신규주택을 취득하는 경우에는 1세대 2주택의 대체취득 기간이 3년에서 2년으로 단축된다. 따라서 대체취득으로 인한 중복기간이 2년이므로 2년 내에 처분하여야 대체취득에 따른 1세대 1주택 비과세 적용을 받을 수 있다.

즉, 조정지역에 종전주택이 있는 자가 비조정지역에 대체주택을 취득하는 경우, 비조정지역에 종전주택이 있는 자가 조정지역에 대체주택을 취득하는 경우에는 3년의 중복기간이 그대로 적용된다.

다만, 조정대상지역의 공고가 있은 날 이전에 해당 지역의 주택을 양도하기 위하여 매매계약을 체결하고 계약금을 지급받은 사실이 증빙서류에 의해 확인되는 주택은 종전 규정을 적용한다.

05 장기일반민간임대주택 요건 기준시가 추가 적용

임대주택을 8년 임대하는 장기일반민간임대주택으로 등록하는 경우 국민주택규모 이하이고 임대 개시 당시 기준시가 6억 원(수도권 외 지역 3억 원) 이하인 경우에만 조세특례제한법 제97조의3 장기보유특별공제 50% 또는 70%의 공제율을 적용할 수 있다.

06 종합부동산세 강화

종합부동산세는 과세기준일(매년 6. 1.) 현재 국내에 소재한 재산세 과세대상인 주택 및 토지를 유형별로 구분하여 인별로 합산한 결과, 그 공시가격 합계액이 각 유형별로 공제금액을 초과하는 경우 그 초과분에 대하여 과세되는 세금이다.

1차로 부동산 소재지 관할 시·군·구에서 관내 부동산을 과세유형별로 구분하여 재산세를 부과하고, 2차로 각 유형별 공제액을 초과하는 부분에 대하여 주소지(본점 소재지) 관할 세무서에서 종합부동산세를 부과한다.

유형별 과세대상	공제금액
주택(주택부속토지 포함)	6억 원(1세대 1주택 9억 원)
종합합산토지(나대지·잡종지 등)	5억 원
별도합산토지(상가·사무실 부속토지 등)	80억 원

1세대 1주택자란, 거주자로서 세대원 중 1명만이 재산세 과세대상인 1주택을 단독으로 소유한 경우를 말한다.

그리고 일정한 요건을 갖춘 임대주택, 미분양주택 등과 주택건설사업자의 주택신축용토지에 대하여는 9. 1.부터 9. 30.까지 합산배제신고하는 경우 종합부동산 과세대상에서 제외된다.

3주택 이상이거나 조정대상지역에 2주택자인 경우 0.6~3.2%의 종합부동산세율이 적용된다. 종전에 대비하여 0.1~0.8% 추가 과세된다.

과세표준	일반	조정대상지역 2주택 및 보유주택 3주택 이상
3억 원 이하	0.5%	0.6%
3억 원~6억 원 이하	0.7%	0.9%
6억 원~12억 원 이하	1.0%	1.3%
12억 원~50억 원 이하	1.4%	1.8%
50억 원~94억 원 이하	2.0%	2.5%
94억 원 초과	2.7%	3.2%
세부담 상한선	150%	300%(2주택자 200%)

공정시장가액비율은 단계적으로 높아지고 있으며 2019년 85%, 2020년 90%, 2021년 95%, 2022년 100%까지 인상한다.

2019년부터 적용되는 부동산 관련 세법에는 어떤 것들이 있을까?

01 조정대상지역 추가 변경

조정대상지역의 범위

구분	조정대상지역
서울	서울시 전 지역 25개구 강남·서초·송파·강동·용산·성동·노원·마포·양천·영등포·강서·구로·금천·동작·관악·은평·서대문·종로·중구·성북·강북·도봉·중랑·동대문·광진
부산	해운대구·동래구·수영구, 연재구, 남구, 부산진구, 기장군 일광면
경기	과천시·광명시·성남시·고양시·남양주시·하남시 화성시(반송동·석우동/동탄면 금곡리·목리·방교리·산척리·송리·신리·영천리·오산리·장지리·중리·청계리 일원에 지정된 택지개발지구로 한정) 구리시, 안양시 동안구, 광교택지개발지구(수원시 영통구 이의동, 원천동, 하동, 매탄동, 팔달구 우만동, 장안구 연무동, 용인시 수지구 상현동, 기흥구 영독동 일원) 수원시 팔달구, 용인시 수지구·기흥구
세종특별자치시	세종특별자치시(신행정수도 후속대책을 위한 연기·공주지역 행정중심복합도시 건설을 위한 특별법 제2조 제2호에 따른 예정 지역으로 고시된 지역에 한정)
	행정중심복합도시 예정 지역(건설교통부) • 연기군 - 금남면 반곡리·봉기리·석교리·석삼리 전 지역 / 대평리·부용리·성덕리·신촌리·영곡리·용포리·장재리·호탄리·황용리 일부 지역 - 남면 갈운리·고정리·나성리·방축리·송담리·송원리·양화리·월산리·종촌리·진의리 전 지역 / 보통리·연기리 일부 지역 - 동면 용호리 전 지역 / 문주리·합강리 일부 지역 • 공주시 - 장기면 당암리 전 지역 / 금암리·산학리·합강리 일부 지역 - 반포면 원보리 일부 지역

조정대상지역에 지정된 후 해당 지역에서 주택을 취득하고 그 주택을 양도하는 경우, 그 주택은 반드시 2년을 거주해야 비과세 혜택을

받는다. 이에 반해 조정대상지역이 아닌 지역의 주택은 2년만 보유해도 양도 당시 1세대 1주택에 해당하면 비과세 요건을 충족한 것으로 본다.

그리고 다주택자가 조정대상지역 지정일 이후 조정대상 해당지역의 주택을 양도하는 경우 양도세 중과가 적용된다. 즉, 2주택자의 경우 기본세율+10%, 3주택자의 경우 기본세율+20%가 가산되며 장기보유특별공제도 적용 배제된다.

또한 조정대상지역 지정일 이후 아파트 분양권을 양도하는 경우 보유기간에 관계없이 50%의 세율이 부과되며, 오피스텔 분양권은 이에 해당되지 아니한다.

02 장기보유특별공제율이 연간 3%에서 연간 2%로 하향

2019년부터 3년 이상 보유한 토지, 건물 등을 양도하면 연 2%의 장기보유특별공제가 적용된다. 그리고 조정대상지역에서 양도하는 경우, 양도소득세율이 중과되는 경우 장기보유특별공제도 함께 배제된다. 종전에는 10년만 보유해도 30%의 장기보유 공제율을 적용받을 수 있었으나, 2019년부터는 최소 15년 이상을 보유하여야 30%의 공제율을 적용받을 수 있다. 단, 조세특례제한법 제97조의3에 따른 장기보유특별공제 우대율이 적용되는 장기일반민간임대주택(구 준공공임대주택)은 8년 임대 후 양도하면 50%, 10년 임대 후 양도하는 경우 70%의 장기보유특별공제율을 적용한다.

03 장기일반민간임대주택에 대한 양도소득세 100% 감면 규정이 2018. 12. 31. 일몰로 종료

조세특례제한법 제97조의5

국민주택규모 이하의 주택을 취득일로부터 3개월 이내에 지자체에 장기일반민간임대주택(구 준공공임대주택)으로 등록하고 10년 이상 계속하여 임대한 후 양도하면, 임대기간 중 발생한 양도소득에 대한 양도소득세를 100% 감면한다.

이 규정은 2018. 12. 31.까지 매매계약이 체결되어 잔금이 청산되거나 등기가 이전된 주택이거나 2018. 12. 31.까지 매매계약을 체결하고 계약금을 지급한 주택은 2018. 12. 31. 이후 잔금을 치루더라도 취득일로부터 3개월 이내에만 장기일반민간임대주택(구 준공공임대주택)으로 등록하면 조세특례제한법 제97조의5에 따른 양도세 100%를 감면받을 수 있다.

다만, 9·13 대책으로 장기일반민간임대주택(구 준공공임대주택)에 대한 기준시가 요건이 추가 신설되어 수도권은 6억 원 이하, 수도권 이외 지역은 3억 원 이하의 가액요건을 충족하여야 양도세 감면을 받을 수 있다.

04 주택임대수입금액 2천만 원 이하인 경우에도 소득세가 과세

2018년까지 주택임대수입금액이 2천만 원 이하인 경우 소득세가 과세되지 않았고, 2천만 원 초과자에 한해 종합과세가 되었다. 그러나 2019년부터 주택임대수입금액이 2천만 원 이하라 하더라도 소득세가 과세되며, 분리과세와 종합과세 중 선택하여 신고가 가능하다.

여기서 분리과세란 근로, 사업, 기타, 이자, 배당 등의 소득과 주택임대소득을 합산하지 않고 주택임대소득을 분리하여 신고하는 과세를 말한다. 종합과세란 주택임대소득을 다른 소득과 합산하여 과세하는 방식으로 실제 지출된 경비만을 필요경비로 인정하므로 종합소득세 부담이 증가한다.

05 주택임대소득 분리과세 시 필요경비 차등 적용

분리과세로 소득금액을 계산할 때 임대주택으로 등록한 경우에는 60%의 필요경비율을 적용하며, 주택임대소득 외의 종합소득금액이 있는 경우 400만 원을 비용으로 인정한다.

이에 반해 임대주택으로 등록하지 아니한 경우에는 50%의 필요경비율과 주택임대소득 외의 종합소득금액이 있는 경우 200만 원을 비용으로 소득금액 계산 시 반영한다.

다만, 주택임대소득 외의 다른 종합소득금액이 2천만 원 이하인 경우에만 해당 금액을 차감한다.

민간임대주택법상 단기민간임대주택(4년 이상 의무임대) 또는 장기일반민간임대주택(8년 이상 의무임대)으로 등록하고 소득세법상 사업자등록을 하여야 한다. 또한 민간임대주택법에 따른 임대료 인상률 연 5%를 준수하여야 한다.

분리과세 세액

분리과세 세액=[(수입금액 - 수입금액×필요경비율) - 공제대상금액*] × 14%

* 주택임대소득 외의 다른 종합소득금액이 2천만 원 이하인 경우에만 공제대상 금액을 차감한다.

	주택임대등록	주택임대미등록
필요경비율	60%	50%
공제대상금액	400만 원	200만 원

06 임대보증금 과세대상 주택 수 산정에서 제외되는 소형주택의 범위 축소

기존 소형주택의 범위에는 가액이 기준시가 3억 원 이하이고 60㎡ 이하의 주택에 대해 과세대상에서 제외되었다. 그러나 2019년부터 기준시가 2억 원 이하이며 전용면적 40㎡ 이하의 주택에 한해 간주임대료 주택 수에서 제외되며, 해당 주택의 보증금에 대한 소득세가 과세되지 아니한다.

주택을 임대할 때 월세 이외에 전세보증금을 수령하는 경우와 전액 월세로 받는 경우에 과세형평의 문제가 발생할 수 있다. 전세보증금은 되돌려주어야 하는 부채 성격으로 과세대상이 아니다. 그러나 보증금을 과세대상에서 제외하는 경우 월세를 더 많이 받는 임대업자가 상대적으로 소득이 많이 노출된다. 이러한 과세형평의 문제를 제거하기 위해 전세보증금에 일정한 이자율을 곱한 금액을 임대료로 받은 것으로 간주하는데, 이를 간주임대료라고 한다.

07 장기주택저당차입금 이자상환액 공제 적용 대상 주택의 범위가 기준시가 5억 원으로 확대

근로소득이 있는 거주자로서 무주택자이거나 1주택자가 기준시가 5억 원 이하의 주택을 취득하고 담보대출을 받는 경우, 그에 따른 이자상환액을 근로소득 연말정산 시 공제한다.

종전에는 기준시가 4억 원 이하였으나, 최근 주택가격 상승으로 인해 공제대상 주택을 확대하였다.

08 분리과세 주택임대소득만 있는 자도 임대사업자등록 의무, 미등록 시 임대수입금액의 0.2% 가산세, 주택 임대소득자 사업자등록 의무화

세금을 절세한다고 생각할 때 부동산을 팔아서 이익을 줄이는 방법도 있지만, 의무규정을 이행하지 않음으로써 발생하는 가산세를 피해나가는 것도 중요한 절세방법이다.

그중 하나가 주택임대소득자 사업자등록 의무규정이다.

소득세법 제168조 제1항의 규정에 따라 주택임대수입금액의 유무에 관계없이 주택임대업을 영위하는 자는 세무서에 사업자등록을 해야 할 의무가 있다. 임대사업등록을 하지 아니한 경우에는 미등록기간 동안의 임대수입금액에 대해 0.2%의 가산세가 적용된다.

가령 임대사업자등록을 하지 아니하고 10년 동안 아파트를 임대하고 받은 돈이 3억 5천만 원(연간 3,500만 원×10년)이라고 가정하면, 3억 5천만 원의 0.2%인 70만 원을 가산세로 납부해야 한다.

부칙 제20조에 근거하여 2019. 1. 1. 이전에 주택을 임대하고 있는 자로서, 주택임대수입금액 2천만 원 이하인 자는 2019. 12. 31.까지 사업자등록이 가능하다. 그리고 그 외의 자, 즉 주택임대수입금액이 2천만 원을 초과하거나 2019. 1. 1. 이후 임대 개시하는 자는 임대사업자등록 의무를 가진다.

09 임대주택으로 등록한 주택의 취득세 및 재산세 감면 규정은 2021년까지 연장

민간임대주택법에 따른 임대주택으로 등록한 주택의 취득세와 재산세 감면 규정이 2018년 일몰규정이었으나, 2021년으로 연장되었다.

지방세특례제한법에 따라 60㎡ 이하의 공동주택 또는 오피스텔을 최초로 분양받아 취득일로부터 60일 이내에 지자체에 임대주택으로 등록하는 경우 취득세가 감면된다. 또한 2채 이상의 공동주택이나 오피스텔을 임대주택으로 등록하고 임대하는 경우, 그 면적에 따라 재산세가 감면된다.

10 신혼부부생애최초 주택 취득세 감면

2019. 1. 1.~2019. 12. 31.까지 혼인일을 기준으로 5년 이내인 사람과 주택 취득일부터 3개월 이내에 혼인할 예정인 사람으로 주택 취득일 직전연도에 부부합산 소득이 7천만 원(혼자 버는 사람 5천만 원) 이하인 경우에 해당되어야 한다. 그리고 취득가액이 4억 원(수도권 외 지역은 3억 원) 이하이고 전용면적이 60㎡ 이하 주택을 취득하는 경우에 취득세를 감면한다.

다만, 3년 이내 해당 주택을 양도, 증여, 임대하는 경우 감면세액을 추징한다. 따라서 신혼으로 생애최초 주택에 대해 취득세 감면을 받은 경우에는 반드시 3년간 거주하여야 한다.

11 1세대 1주택 비과세 판단 시 사실혼 배우자 포함

2019년부터 사실혼 배우자가 주택을 소유하고 있어도 1가구 1주택에 따른 비과세 혜택에서 제외된다. 원래 1세대일 경우, 거주자 및 배우자가 그들과 같은 주소에서 생계를 같이 하는 자와 함께 구성하는 가족 단위를 말하는데, 이 범위를 더 명확하게 사실혼 관계를 유지하고 있는 배우자도 1세대로 본다는 것이다.

개정 이유는 다주택가구가 이혼을 위장하고 양도소득세 비과세 혜택을 받는 경우가 많기 때문에, 사실과 다른 허위로 인한 양도신고를 부인하고 실질적인 관계를 과세근거기준으로 삼기 위함이다.

12 1세대 1주택 양도세 비과세 적용 시 보유기간 요건 강화 2021. 1. 1. 이후 양도분부터 적용(2년간 적용유예)

1세대 1주택 양도세 비과세 보유기간 요건을 강화하여 다주택 상태인 기간은 제외하고, 1주택 상태인 기간부터 기산하여 2년을 보유하여야 한다(조정대상지역 지정 이후에 취득한 주택은 보유기간 중 2년 이상 거주).

개정 전에는 양도할 당시 1주택자가 해당 주택 보유기간이 2년 이상이면 비과세가 적용되었다(조정대상지역 지정 이후에 취득한 주택은 보유기간 중 2년 이상 거주).

그러나 2021. 1. 1.부터는 1세대가 1주택 이상을 보유한 경우 다른 주택들을 모두 양도하고 최종적으로 1주택만 보유하게 된 날부터 보유기간을 기산한다. 다만, 일시적 2주택자나 상속, 동거봉양 등 부득이한 사유로 인해 1주택 비과세를 받는 주택은 제외한다.

즉, 개정 전에는 다주택자가 주택을 매각하고 최종적으로 1주택만 보유한 후 그 1주택을 매각 시 그 주택의 취득시기부터 보유기간 2년을 기산하여 1세대 1주택 비과세를 적용하였다.

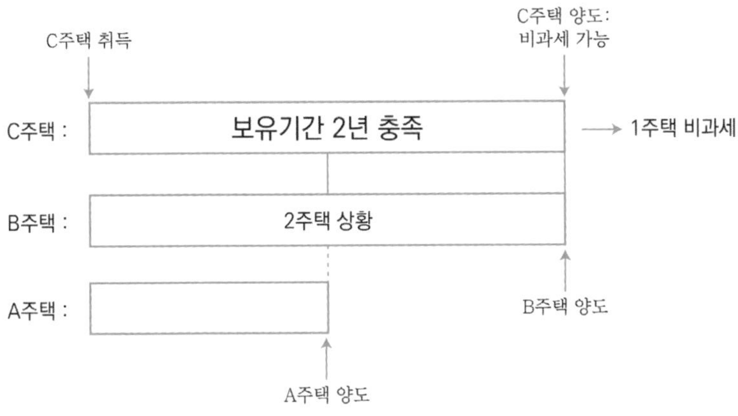

개정법의 적용 시점인 2021. 1. 1.부터는 다주택을 보유한 기간은 제외하고 최종적으로 1주택만 보유하게 된 날부터 보유기간 2년을 기산하여 1세대 1주택 비과세를 적용한다.

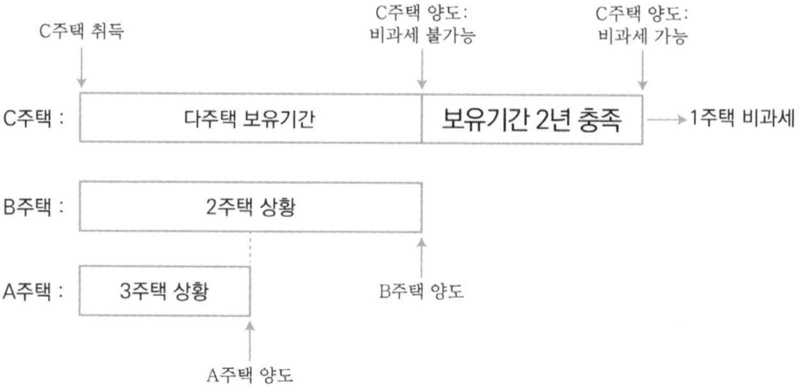

13 주택임대사업자 최초 거주주택 1회만 비과세 허용

2년 이상 거주한 주택을 양도하고 그 주택의 비과세 여부를 판단하는 경우, 장기임대주택이 여러 채인 경우에도 모두 주택 수에서 제외되었다. 그리고 2년 이상 거주한 거주주택을 양도할 때 비과세를 적용받고, 다른 거주주택을 취득하여 2년 거주 후 또다시 매각하는 경우에도 직전 거주주택 양도 후 양도차익에 대해 비과세가 적용되었다. 이처럼 주택을 여러 채 보유한 다주택자들은 거주주택 과세특례를 이용하여 강력한 양도세 구조에서도 살아남는 경우가 많았다.

그러나 이번 개정을 통해 양도세 틈새를 빠져나가는 출구를 전략적으로 막고, 거주주택에 대해 단 1회만 비과세하는 것으로 강화하였다.

이 법의 시행시기는 시행령 개정 이후 신규 취득분부터 적용하되, 시행일 당시에 거주하고 있는 주택(시행일 이전에 거주주택을 취득하기 위해 계약금을 지불한 경우도 포함)은 종전 규정을 적용한다.

14 임대주택을 거주주택으로 전환하는 경우에도 전체 양도차익 과세(단, 최종 임대주택 1채만 보유하고 거주주택으로 전환 시 직전 거주주택 양도 후 양도차익에 대해서만 비과세)

장기임대주택을 보유한 임대사업자가 2년 이상 본인이 거주한 주택을 양도 시 1세대 1주택으로 보아 횟수에 제한없이 비과세를 적용하였다. 즉, 임대주택을 거주주택으로 전환하는 경우 기존 거주주택 양도 후 발생하는 양도차익에 대해 비과세를 하였다.

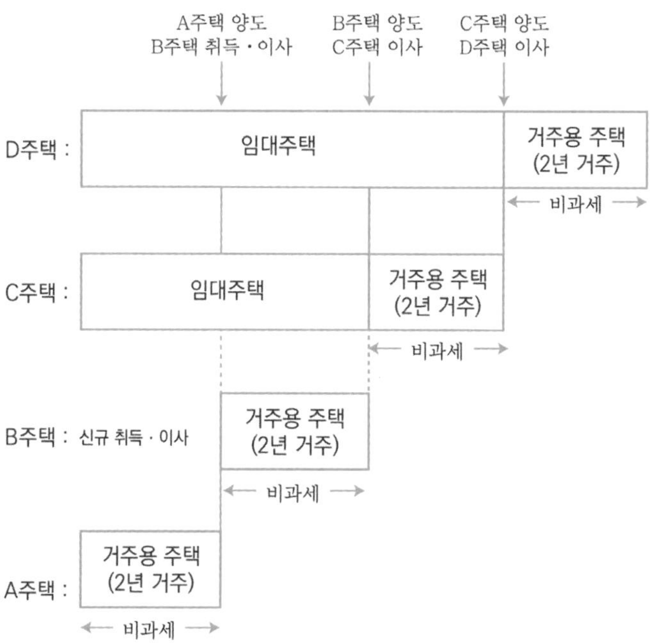

이번 개정을 통해 임대주택을 거주주택으로 전환하는 경우에도 전체 양도차익에 대해서 과세를 하도록 규정되었다. 다만, 최종적으로 임대주택 1채만 보유하게 된 후 거주주택으로 전환 시에는 직전 거주주택 양도 후 양도차익분에 대해서만 비과세를 적용한다.

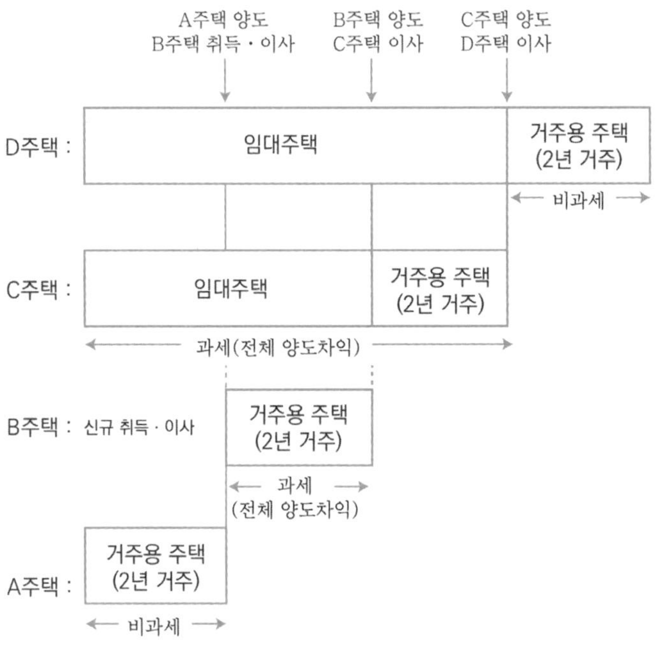

15 단기임대주택을 장기일반민간임대주택 전환 시 임대기간 합리화

단기임대주택(4년 이상 임대)을 장기일반민간임대주택(8년 이상 임대) 등으로 변경등록하는 경우, 단기임대주택 임대기간의 50%(최대 5년)를 임대기간으로 인정하였다. 이번 개정을 통해 장기임대로 전환등록 시 최대 4년을 한도로 기존의 단기 임대기간 전체를 임대기간으로 인정하도록 민간임대주택법과 일치시켰다.

16 임대주택의 과세특례 적용 시 임대료 5% 증액 제한

소득세법상 장기임대주택의 과세특례, 즉 종부세 합산배제, 임대사업자의 거주주택 양도소득세 비과세, 양도소득세 중과배제, 임대료에 대한 소득세 세액감면 등을 적용받기 위해서는 반드시 임대료 5%의 증액제한을 엄수하여야 특례를 적용받을 수 있다.

종전에는 민간임대주택법 규정에 따라 단기이든 장기일반민간이든 임대주택을 등록하면 임대료 5% 증액제한은 반드시 지켜야 하고, 이를 위반하는 경우 과태료가 부과되었다. 그러나 소득세법상 장기임대주택에 대한 거주주택비과세, 양도세 중과배제, 종부세 합산배제, 임대소득 감면 등은 5% 증액을 지키지 못하여도 혜택을 적용받았다.

이번 개정을 통해 임대인의 주거안정을 위해 임대료 5% 증액을 제한하였고, 영 시행일 이후 주택 임대차계약을 갱신하거나 새로 체결하는 분부터 적용한다.

17 배우자 이월과세 적용대상 자산범위 확대

거주자가 토지, 건물, 특정시설물이용권을 배우자 또는 직계존비속에게 증여하고 증여한 날부터 5년 이내에 그 자산을 타인에게 양도하는 경우, 증여재산가액을 취득가액으로 보지 않고 증여한 자의 당초 취득가액을 양도한 자산의 취득가액으로 본다. 이러한 과세제도를 "배우자 이월과세"라 한다.

그동안 이 규정은 과세대상 자산에 분양권과 조합원이 포함되지 않아, 6억 원까지 공제되는 배우자증여공제를 이용하여 분양권을 증여한 후 양도하는 형식을 통해 증여세는 물론이고 양도세까지 내지 않는 방법으로 적극 활용되었다.

이번 개정을 통해 분양권과 조합원입주권을 배우자 등에게 증여하고, 증여한 날부터 5년 이내에 수증자가 증여받은 분양권을 양도하면 취득가액을 증여한 자의 당초 취득가액으로 본다. 이를 통해 증여를 통한 절세효과는 사라지게 된다.

PART 2

부동산 중과 NO!
양도소득세
줄일 수 있는 방법은?

Chapter 1 합법적인 절세 전략 11가지 알아두기

Kim Yeon Ju & Lim Jun Chan

부동산 중과 NO!
합법적이고 노련한 11가지 양도소득세 절세 방안!

2채 이상의 부동산을 소유한 자가 자산을 매매할 때는 최소한 20% 또는 30% 가산되는 중과세를 피하고 부동산의 양도시기와 처분순서 등을 미리 상담하고 계획하여 양도소득세 규정을 적극 활용하여야 한다. 그리고 보다 노련하고 합법적인 절세 방법을 모색하여야 한다.

특히 1세대 1주택의 비과세 혜택을 최대한 끌어내며, 양도소득세 공제 및 감면을 활용하기 위한 방안을 마련해야 한다. 또한 부동산은 처분하는 시기와 매각하는 자산의 순서 등에 따라 납부할 세금이 큰 폭으로 달라지므로, 전문세무사와의 상담을 통해 양도 전략을 잘 수립하여 양도소득세를 줄여야 한다.

01 장기보유특별공제 적극 활용하기

장기보유특별공제는 일정기간 동안 부동산을 보유함에 따라 합리적인 소유행태를 유도하기 위한 제도이다.

보유기간이 3년 이상인 토지, 건물에 대하여 양도차익의 일정비율을 차감시켜 준다. 최소 3년 이상(2019년 6%)부터 최대 15년(30%)까지 양도차익에서 장기보유특별공제액을 차감하고 있다.

1가구 1주택자로서 고가주택에 해당할 경우는 보유기간 10년까지(최대 80%) 양도차익을 차감시켜 주므로, 부동산을 최대 15년 이상 보유하는 것이 절세효과가 크다.

2021. 1. 1. 이후 양도하는 고가주택의 1세대 1주택자는 9억 원을 초과하는 양도차익에 대한 장기보유특별공제를 적용할 때 보유기간과 거주기간을 각각 구분하여 보유기간별, 거주기간별 4%의 장기보유특별공제율을 계산한다. 1세대 1주택자(실거래가 9억 원을 초과)에 대한 장기보유특별공제율을 최대 80%(10년)를 유지하되, 거주기간 요건을 추가하여 보유기간별 장기보유특별공제율(연 4%)과 거주기간별 장기보유특별공제율(연 4%)을 구분하여 장기보유특별공제율을 적용한다.

조세특례제한법 제97조의3에 따른 장기보유특별공제 우대율이 적용되는 장기일반민간임대주택(구 준공공임대주택)은 8년 임대 후 양도하면 50%, 10년 임대 후 양도하는 경우 70%의 장기보유특별공제율이 적용된다. 다만, 세법개정으로 장기일반민간임대주택의 장기보유특별공제 특례의 적용기한이 2020년 12월 31일까지 요건을 갖춘 장기임대등록을 신청한 경우에 적용된다. 장기보유특별공제 특례는 임대사업자 등록 이후의 임대기간으로 한정되며, 2022년 12. 31.까지의 기간에서 2년 단축되었다.

여기서 임대주택의 요건은 수도권은 6억 원 이하, 수도권 외 지역은 3억 원 이하의 가액요건과 국민주택규모 이하의 면적을 충족하고 지자체와 세무서에 장기일반민간임대주택(구 준공공임대주택)으로서 10년 임대기간으로 등록한 주택을 말한다.

조세특례제한법 제97조의4 임대주택 특례요건은 거주자 및 비거주자에 관계없이 수도권은 6억 원(수도권 외 지역 3억 원) 이하의 가액기준과 임대료보증금 등의 증가율이 5% 이하로서 주택면적에는 관계없이 2018년 3월 31일까지 지방자치단체와 세무서에 사업자등록을 한 주택으로 실제 6년 이상 임대한 주택을 말한다.

조세특례제한법 제97조의4에 따른 장기보유특별공제 추가공제율이 가산되는 5년 이상 임대하는 단기, 장기임대주택을 6년 이상 임대하고 세법상 요건을 충족한 경우에는 기본공제율에 2~10%의 추가공제율을 가산한 장기보유특별공제율을 적용한다.

장기보유특별공제의 내용은 다음과 같으며, 세법상 공제율의 차이를 비교해 볼 수 있다.

일반장기보유 특별공제		1세대 1주택 장기보유특별공제		조세특례제한법 제97조의3(장기일반민간임대주택) 장기보유특별공제		조세특례제한법 제97조의4 (장기임대주택등) 장기보유특별공제 추가공제율 과세특례	
보유기간	공제율(2%)	거주기간(4%)	보유기간(4%)	보유기간	공제율	보유기간	추가공제율
3년 이상 4년 미만	6%	3년 이상 4년 미만: 12%	3년 이상 4년 미만: 12%	3년 이상 4년 미만		3년 이상 4년 미만	
4년 이상 5년 미만	8%	4년 이상 5년 미만: 16%	4년 이상 5년 미만: 16%	4년 이상 5년 미만		4년 이상 5년 미만	
5년 이상 6년 미만	10%	5년 이상 6년 미만: 20%	5년 이상 6년 미만: 20%	5년 이상 6년 미만		5년 이상 6년 미만	
6년 이상 7년 미만	12%	6년 이상 7년 미만: 24%	6년 이상 7년 미만: 24%	6년 이상 7년 미만		6년 이상 7년 미만	2% 가산
7년 이상 8년 미만	14%	7년 이상 8년 미만: 28%	7년 이상 8년 미만: 28%	7년 이상 8년 미만		7년 이상 8년 미만	4% 가산
8년 이상 9년 미만	16%	8년 이상 9년 미만: 32%	8년 이상 9년 미만: 32%	8년 이상 9년 미만	50%	8년 이상 9년 미만	6% 가산
9년 이상 10년 미만	18%	9년 이상 10년 미만: 36%	9년 이상 10년 미만: 36%	9년 이상 10년 미만	50%	9년 이상 10년 미만	8% 가산
10년 이상 11년 미만	20%	10년 이상: 40%	10년 이상: 40%	10년 이상 11년 미만	70%	10년 이상 11년 미만	10% 가산
11년 이상 12년 미만	22%			11년 이상 12년 미만		11년 이상 12년 미만	
12년 이상 13년 미만	24%			12년 이상 13년 미만		12년 이상 13년 미만	
13년 이상 14년 미만	26%			13년 이상 14년 미만		13년 이상 14년 미만	
14년 이상 15년 미만	28%			14년 이상 15년 미만		14년 이상 15년 미만	
15년 이상	30%			15년 이상		15년 이상	

* 조세특례제한법 제97조의3(장기일반민간임대주택등에 대한 양도소득세의 과세특례)
** 조세특례제한법 제97조의4(장기임대주택등에 대한 장기보유특별공제율 적용 과세특례)

02 배우자 간 증여재산 공제 적극 활용하기

만약, 보유하고 있는 2주택이 모두 조정대상지역에 해당된다면 어떻게 해야 할까?

2주택 중 1주택만 매매하여도 기본세율에 20%가 가산되는 중과세율을 적용받게 되고, 장기보유특별공제를 적용받지 못한다. 조정대상지역의 중과는 납세자가 부담해야 하는 양도세를 상당히 가중시킨다. 이런 경우 배우자 간의 증여를 통하여 취득가액을 높여 양도차익을 줄일 수 있는 방법이 있다. 여기서 말하는 배우자는 민법상 혼인으로 인정되는 혼인관계에 있는 배우자이며, 사실혼 관계에 있는 배우자는 공제되지 아니한다.

증여세법상 증여재산 공제는 수증자와 증여자 간의 인적 관계가 있는 경우 증여세 과세가액에서 일정액을 공제하여 과세표준을 산정하도록 하고 있다.

증여세 과세가액에서 10년간 합산하여 공제하는데, 배우자 간의 증여는 증여받는 배우자가 최대 6억 원까지 공제받을 수 있고 직계존비속 간에는 5,000만 원(수증자가 미성년자인 경우에는 2,000만 원), 기타 친족의 경우에는 1,000만 원까지 공제가능하다.

지난 10년간 배우자에게 증여한 재산이 없다면, 조정대상지역의 주택을 증여하여 배우자공제 6억 원을 공제받고 부동산 명의를 넘길 수 있다. 그리고 5년이 경과한 후 증여받은 부동산을 양도하는 경우 증여받을 당시의 가액이 취득가액으로 산정되어, 상대적으로 높은 취득가액을 기준으로 매매함으로써 양도차익을 줄일 수 있다.

다만, 배우자의 증여자산에 대한 이월과세 규정을 적용받을 수 있으므로 반드시 증여받고 5년이 경과한 다음에 양도하여야 한다. 만약 증여시점에서 5년 이내에 양도하는 경우에는 조세회피 목적으로 보아 증여받은 부동산을 양도할 때 취득가액 산정을 증여한 배우자의 종전 취득가액으로 보아 양도소득세를 과세하므로 상당한 주의가 필요하다.

03 자산취득은 단독명의보다는 부부공동명의로

자산을 취득하는 경우 부담하는 취득세는, 취득하는 사람의 인원수에 관계없이 동일하여 세감소 효과가 없다. 그러나 자산을 공동명의로 취득하여 지분을 나눈 경우에는 양도소득세가 공동명의자의 지분율로 안분되어 계산된다.

따라서 누진세율 구조인 양도소득세율의 경우에는 단독명의로 양도하는 것에 비하여 부부공동명의가 세부담 감소효과가 상당히 크다.

04 이혼 시 부동산을 주는 경우에는 위자료가 아닌 재산분할청구권으로 등기이전

재산분할청구에 의한 소유권 이전'으로 등기가 이전되는 경우에는 부부의 공동노력으로 성취한 공동재산을 이혼으로 인하여 이혼자 일

방이 애초 취득 시부터 자기지분인 재산을 환원하여 가져간 것으로 본다.

따라서 당초 취득시점부터 자기지분인 재산을 찾아간 것으로 보아 세법은 양도 및 증여로 보지 아니한다. 따라서 '재산분할청구에 의한 소유권 이전'으로 등기를 넘기는 경우에는 특별한 세부담 없이 소유권을 이전할 수 있다.

그러나 '이혼에 따른 위자료'로 부동산을 등기 이전하는 경우에는 그 부동산을 위자료로 대신하는 것으로 보아, 세법에서는 상대방에게 양도한 것으로 본다.

따라서 등기 이전하는 부동산이 양도소득세 과세대상인 경우에는 양도소득세를 부담하여야 한다.

05 부동산 보유기간은 최대한 길게 가라

양도소득세율은 8단계 초과누진세율로 구성되어 있으나, 보유기간이 단기인 경우에는 높은 고율의 세율을 적용받는다.

즉, 보유기간이 1년 미만인 경우에 주택은 70%의 세율이 적용되고, 보유기간이 1년 이상 2년 미만인 경우에 주택은 60%가 적용된다.

그리고 일반적으로 취득시기부터 양도시기까지 보유기간이 2년 이상인 경우에는 6~45%의 8단계 초과누진세율이 적용된다.

만약 부동산을 급매해야 하는 상황이 발생한다 하더라도, 잔금청산일을 최대한 늦추어 보유기간이 최소 1년 이상으로 산정될 수 있도록 해야 한다. 또한 2년 미만의 경우는 2년 이상 보유할 수 있도록 해야 한다.

이는 보유기간 조정으로 단기보유에 따른 고율의 세율을 비켜나갈 수 있는 방법이기 때문이다.

06 부동산 처분시기 분산 & 처분순서 정하기

한해에 2주택 이상의 부동산을 양도하고 한쪽에서는 양도차익이 발생하고 다른 한쪽에서는 양도차손이 생겼다면, 양도차익과 양도차손을 통산하여 양도소득세를 부과한다. 결국 양도차손이 양도차익에 흡수되어 양도차익은 줄어들고, 납부할 양도소득세도 줄어든다.

따라서 양도하는 부동산 중에 양도차손의 발생이 예상된다면, 해당 연도에 양도차익이 발생하는 부동산을 매각하여 양도차손익을 통산함으로써 양도소득세 세부담을 확실하게 줄일 수 있다. 만약, 2주택 이상이 전부 양도차익이 예상된다면 한해에 가급적 1주택만 처분하는 것이 좋다.

양도차익이 누적되어 합산되므로, 초과누진세율하에서는 당연히 세부담이 누적되어 증가하므로 양도소득세 부담이 커지게 된다.

그리고 먼저 주택 양도 순서에 따라 세부담이 달라질 수 있다. 만약 1세대 2주택자로서 조정대상지역인 서울에 한 채(A주택)가 있고 조정대상지역 외에 다른 주택(B주택)이 있는 사례로서, A주택의 양도차익이 B주택의 양도차익보다 크거나 같은 경우 조정지역 외의 B주택을 먼저 처분하고 A주택을 1세대 1주택 비과세를 받도록 준비하면 된다. 그리고 2017. 8. 2. 이전에 A주택을 구입하였다면 2년 거주의무기간 없이 2년만 보유하면 비과세가 가능하다. B주택도 조정지역 외에 소재하므로 중과는 없다.

07 예상되는 양도차익이 큰 주택은 1세대 1주택 비과세 적용을 받으라

3주택 이상의 다주택자는 조정대상지역의 부동산을 처분할 때 30%의 양도소득세율을 적용받고, 장기보유특별공제도 배제된다.

따라서 조정대상지역의 양도차익이 가장 적다고 예상되는 주택을 먼저 매매하는 경우에는, 상대적인 양도소득세 부담을 최소화시키면서 주택 수를 줄여나갈 수 있다.

종국에는 양도차익이 가장 많은 주택에 대해, 반드시 1세대 1주택 비과세 혜택을 적용받도록 설계하여 세부담의 최소화를 위한 방안을 마련하여야 한다.

08 양도소득세 감면 & 적극적인 1세대 1주택 비과세 활용

부동산 침체로 인한 건설경기를 부양하기 위하여 조세특례제한법상 다양한 조세감면 규정을 두고 있다.

예를 들어, 미분양 아파트를 취득하거나 일정기간 미분양주택의 임대사업을 하는 경우 양도소득세 공제, 감면 특례를 두고 해당 주택을 양도하는 경우 세부담을 줄여주고 있다.

따라서 현재 보유하거나 양도하는 주택이 양도소득세나 조세특례제한법에서 어떻게 취급되고 있는지와 양도세 감면 요건은 어떻게 되는지를 반드시 확인하여 절세방안을 마련하여야 한다.

적극적인 1세대 1주택 비과세를 활용해야 한다.

국민주거생활 안정을 위하여 조세정책적으로 1세대 1주택에 대해 비과세 규정을 두고 있다.

또한 다른 곳으로 이사가기 위해 대체취득하는 경우, 부모의 동거봉양, 결혼, 취학, 상속 등 실생활에서 불가피하게 일시적 2주택이 되는 경우, 주택임대사업 활성화를 위한 양도소득세 감면 등을 통해 주택과 관련된 세금을 비과세하고 각종의 감면 규정을 두고 있다.

따라서 불가피하게 발생되는 2주택의 경우라도 1세대 1주택 비과세 특례요건을 확인하여, 보다 적극적으로 절세플랜을 마련하고 최적의 절세를 위하여 합법적인 전략을 구상해야 할 것이다.

09 상가 겸용주택은 주택면적을 크게 하라

겸용주택을 양도할 때에는 반드시 주택면적을 상가면적보다 크게 하여 전체를 주택으로 인정받을 수 있도록 하여야 한다.

그러나 세법개정으로 인해 2022년부터 주택면적이 더 크더라도 해당하는 주택부분에 대해서만 주택으로 보아 비과세를 적용하므로, 주택이 아닌 상가부분에 대해서 양도소득세를 과세한다. 따라서 겸용주택이 비과세 요건을 갖추더라도, 상가부분과 상가부수토지는 더 이상 주택으로 보지 아니하며 상가부분은 과세대상이 된다.

겸용주택의 경우 2021년까지 양도하는 경우에 한하여 주택면적이 상가면적보다 큰 경우 전체를 주택으로 보아 비과세를 적용받을 수 있으므로, 겸용주택 소유자는 이 규정을 적극 활용할 가치가 있다.

즉, 주택면적이 상가면적보다 큰 경우에는 건물 전체를 주택으로 보며, 상가면적이 주택면적과 같거나 더 크다면 주택부분만을 주택으로 보고 있다.

1세대 1주택자로서 상가면적이 주택면적보다 크거나 같다면, 용도변경 또는 개조나 수리를 통해 공부상 용도가 주택으로 드러나도록 변경하여야 한다.

만약 공부와는 달리 실제 주택으로 사용한 면적이 크다면, 이를 입증할 수 있는 사진, 각종의 증빙, 이웃의 인우보증서 등을 준비하여 주택임을 적극적으로 설명할 수 있어야 한다.

1세대 1주택 비과세만큼 절세효과가 큰 것은 없기 때문이다.

10 취득가액으로 공제받는 지출증빙의 중요성

부동산의 취득 및 자본적 지출 등과 관련하여 지출한 경비에 대해 해당하는 세금계산서 및 영수증 등의 증빙을 반드시 챙겨야 한다. 이렇게 실제 지출된 비용에 대한 증빙을 확보하는 만큼 양도소득세를 줄일 수 있다.

즉, 양도소득세 계산구조를 살펴보면 양도차익의 산출은 부동산을 직접 취득하는 원가와 취득세 등의 취득부대비용 그리고 자산의 가치를 증가시키는 지출도 취득원가로 차감하여 주기 때문이다.

11 매매 후 반드시 양도소득세 신고하라

양도소득세 신고는 양도일이 속하는 달의 말일로부터 2개월 이내에 하여야 한다. 만약 이 기간 안에 신고를 하지 아니한 경우에는 가산세를 부담하게 된다.

그리고 1년 이내에 2번 이상의 부동산을 처분하고 양도소득세를 신고할 경우에는 2번 이상 양도한 내역을 합산 신고하여야 한다. 만약 이러한 합산 신고를 하지 아니한 경우에는 양도소득세 확정신고를 반드시 하여야 한다.

양도소득세는 과세기간 중에 양도를 할 때마다 예정신고를 하고, 다음 해 5월까지 양도한 내용을 통산하여 양도소득세 확정신고의 과정을 거쳐 양도소득세를 결정한다.

따라서 2건 이상의 양도를 하는 경우에는 다음 연도 5월에 양도차손의 통산을 거쳐, 확정신고를 통해 양도소득세가 결정되어 신고하여야 한다.

PART 3

1세대 2주택자·3주택자·다주택자 부동산 세금에서 살아남기!

나는 중과대상인가?

Chapter 1 | 1세대 2주택자 부동산 세금에서 살아남다!

Kim Yeon Ju & Lim Jun Chan

01 1세대 2주택자 부동산 세금에서 살아남는 방법! 세금 한 푼 안내고 집을 팔고 싶다!

"지금 같은 현실에서 이런 일이 정말 가능한 것일까"라며 의아해하는 이들이 많았다. 소득세법상 장기임대주택사업자인 경우에는 충분히 실현 가능한 일이었다.

그러나 2020년 7·10 대책으로 단기임대주택 등록이 불가능하며, 단기임대주택의 장기일반민간임대주택으로의 전환이 되지 않는다. 그리고 아파트는 장기일반민간임대주택 등록을 할 수 없으며, 아파트를 제외한 주택(다세대, 다가구, 단독주택, 오피스텔 등)의 장기일반민간임대주택의 등록은 가능하다. 장기임대주택의 경우 최소 의무기간이 8년에서 10년으로 임대의무기간이 연장된다. 단기 및 장기일반민간임대주택으로 등록된 임대주택의 임대의무기간 경과 후에는 임대등록이 자동 말소된다.

이는 장기임대등록을 통한 세입자의 주거안정과 아파트의 투기과열을 방지하기 위해 임대주택에 대한 세제혜택은 거의 사라지고 있음을 알 수 있다.

다음의 1세대 2주택자 장기임대주택등록을 통한 비과세 전략은 2020년 7·10 대책으로 거의 유명무실해졌다. 그러나 종전 규정을 적극적으로 활용하여 절세전략을 모색한 주택임대사업자도 많은바 과도기적인 정책의 사례로 수록하였다.

02 1세대 2주택자 장기임대주택사업자 등록으로 비과세 받기

거주하는 주택 1채와 소득세법상 장기임대주택을 소유한 1세대가 거주주택을 양도하는 경우, 거주하는 기간이 2년 이상이면 거주한 주택을 1세대 1주택으로 보아 비과세 적용을 받을 수 있다.

주택임대사업자 최초 거주주택 1회만 비과세 허용

2년 이상 거주한 주택을 양도하고 그 주택의 비과세 여부를 판단하는 경우, 장기임대주택이 여러 채가 있는 경우에도 모두 주택 수에서 제외되었다.

2년 이상 거주한 거주주택을 양도할 때 비과세를 적용받고, 다른 거주주택을 취득하여 2년 거주 후 또 다시 매각하는 경우에도 직전 거주주택 양도 후 양도차익에 대해 비과세가 적용되었다. 이처럼 주택을 여러 채 보유한 다주택자들이 거주주택 과세특례를 이용하여 강력한 양도세 구조에서도 살아남는 경우가 많았다.

그러나 세법개정을 통해 양도세 틈새를 빠져나가는 출구를 전략적으로 막고, 거주주택에 대해 단 1회만 비과세하는 것으로 강화되었다.

이 법의 시행시기는 시행령 개정 이후 신규 취득분부터 적용하되, 시행일 당시에 거주하고 있는 주택(시행일 이전에 거주주택을 취득하기 위해 계약금을 지불한 경우도 포함)은 종전 규정을 적용한다.

임대주택을 거주주택으로 전환하는 경우에도 전체 양도차익 과세
단, 최종 임대주택 1채만 보유하고 거주주택 전환 시
직전 거주주택 양도 후 양도차익에 대해서만 비과세

장기임대주택을 보유한 임대사업자가 2년 이상 본인이 거주한 주택을 양도 시 1세대 1주택으로 보아 횟수에 제한없이 비과세를 적용하였다. 즉, 임대주택을 거주주택으로 전환하는 경우 기존 거주주택 양도 후 발생하는 양도차익에 대해 비과세를 하였다.

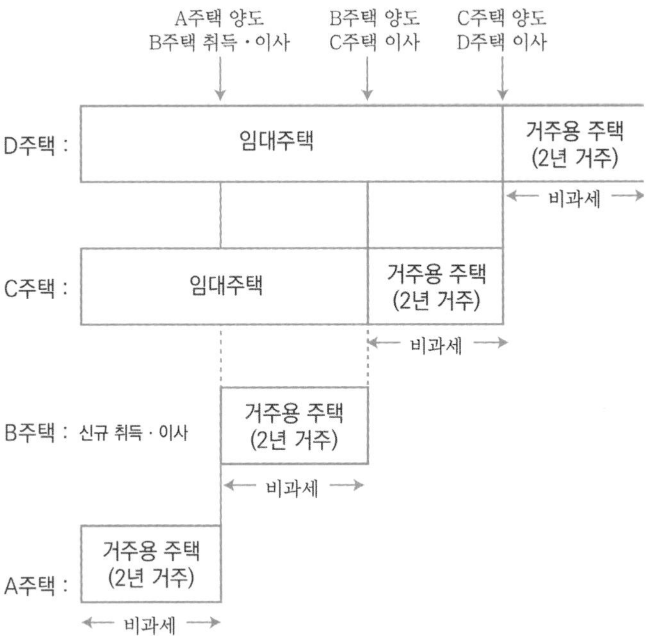

이번 세법개정을 통해 임대주택을 거주주택으로 전환하는 경우에도 전체 양도차익에 대해서 과세를 하도록 규정되었다.

다만, 최종적으로 임대주택 1채만 보유하게 된 후 거주주택으로 전환 시에는 직전 거주주택 양도 후 양도차익분에 대해서만 비과세를 적용한다.

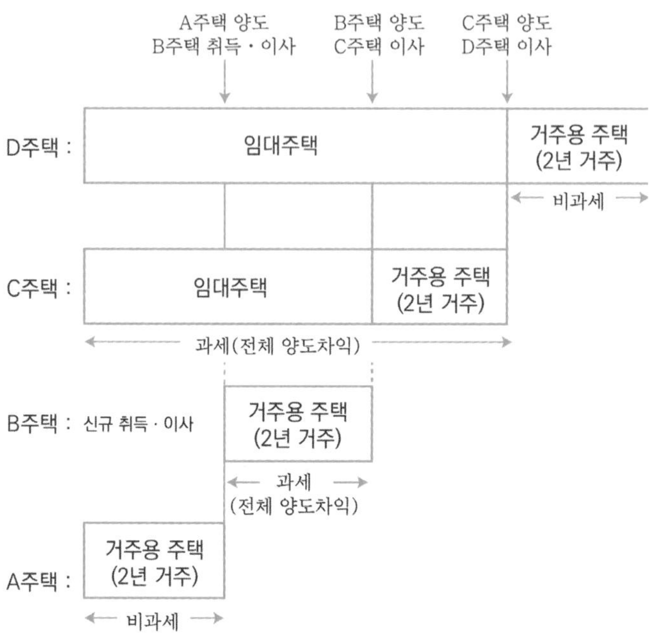

이때 장기임대주택은 단순하게 시·군·구청 등에 주택임대사업으로 등록하였다고 이 규정이 적용되는 것은 아님을 주의하여야 한다. 즉, 소득세법상 주택임대사업자의 요건인 장기임대주택에 해당되어야 한다는 것이다.

장기임대주택은 소득세법 시행령 제167조의3 제1항 제2호에 규정되어 있다.

장기임대주택이란

- 소득세법상 사업자등록과
- 민간임대주택법상 임대사업자등록(이하 '사업자등록등')을 하고

• 8년 이상 임대의무기간

• 임대 개시일 당시 주택의 기준시가가 6억 원(수도권 밖의 지역은 3억 원)을 초과하지 않는 조건에 해당하는 주택을 말한다.

또한 임대주택등록 후 8년 이상의 의무임대기간 요건을 충족하기 전에 거주주택을 양도하는 경우에도 비과세가 적용된다. 이는 장기임대주택 외에 2년 이상 거주한 거주주택의 과세특례, 즉 해당 장기임대주택은 주택 수에서 제외(소득세법 시행령 제155조 제2항)하기 때문에 가능하다.

그러나 8년의 기간을 채우지 못한 상황에서 임대주택을 양도하는 경우에는 애초 비과세 적용을 받았던 거주주택이 비과세 대상이 아닌 경우의 양도소득세와 비교하여 그 차액에 대하여 자진신고 및 납부를 해야 한다.

장기임대주택사업자 1세대 2주택 비과세

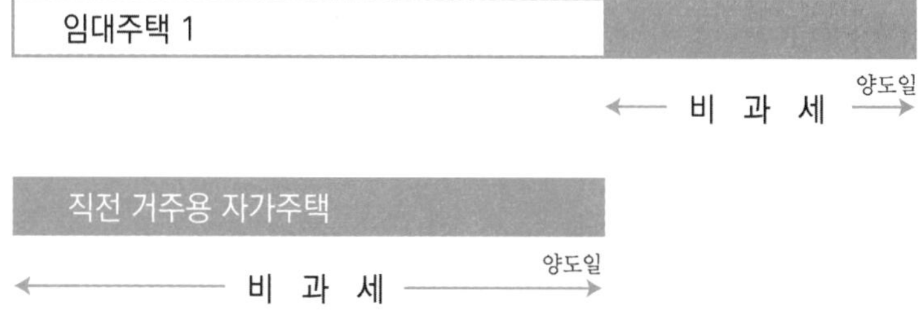

Chapter 2 | 1세대 3주택자 "양도폭탄"에서 생존하다!

Kim Yeon Ju & Lim Jun Chan

01 1세대 3주택자 "양도폭탄"에서 생존하고 싶다! 중과부동산 세금에서 벗어나 세금 없이 집을 매매하고 싶다!

복잡한 주거조건과 환경 속에서 불가피하게 1세대가 3주택을 보유하게 되는 상황도 발생한다. 2020년 7·10 대책 이전에는 3주택자에 대한 절세전략으로 장기임대주택을 적극적으로 활용하여 날아드는 중과세를 피할 수 있는 방안을 모색하였다.

그러나 2020년 7·10 대책으로 단기임대주택 등록이 불가능하며, 단기임대주택의 장기일반민간임대주택으로의 전환이 되지 않는다. 그리고 아파트는 장기일반민간임대주택 등록을 할 수 없으며, 아파트를 제외한 주택(다세대, 다가구, 단독주택, 오피스텔 등)의 장기일반민간임대주택의 등록은 가능하다. 장기임대주택의 경우 최소 의무기간이 8년에서 10년으로 임대의무기간이 연장된다. 단기 및 장기일반민간임대주택으로 등록된 임대주택의 임대의무기간 경과 후에는 임대등록이 자동 말소된다. 이는 장기임대등록을 통한 세입자의 주거안정과 아파트의 투기과열을 방지하기 위해 임대주택에 대한 세제혜택은 거의 사라지고 있음을 알 수 있다.

다음의 1세대 3주택자 장기임대주택등록을 통한 비과세 전략은 2020년 7·10 대책으로 거의 유명무실해졌다. 그러나 종전 규정을 적극적으로 활용하여 절세전략을 모색한 주택임대사업자도 많은바 과도기적인 정책의 사례로 수록하였다.

1세대 3주택자를 살펴보자.

국내에 1세대 1주택을 소유한 거주자가 장기임대주택을 취득한 상태에서 애초의 1주택을 취득한 날부터 1년 이상이 지난 후, 불가피하게 새로운 신규주택(대체주택)을 취득하여 1세대가 3주택을 보유하게 된 경우 어떻게 살아남을 수 있을까?

장기임대주택 외에 가장 처음 보유한 주택(종전주택)을 취득한 날부터 1년 이상 지난 후 새로운 신규주택을 취득(일시적 1세대 2주택 특례)하고, 그 취득한 날부터 3년 이내에 종전주택을 2년 이상 보유하고 세대전원이 2년 이상 거주한 종전주택을 양도하는 경우에는 비과세가 적용된다.

또한 남아있는 대체주택은 2년 이상 보유하고 2년 이상 거주하면, 대체주택 전체의 양도차익(고가주택의 경우 9억 원 초과분은 양도세 과세)에 대해 1세대 1주택 요건을 충족하여 비과세를 받을 수 있다.

위의 상황에서 1세대 3주택자이지만 1세대 1주택 비과세를 적용받을 수 있었던 결정적인 역할은 바로 장기임대주택이다. 따라서 다주택자를 밤낮으로 힘들게 하는 무거운 부동산 세금을 탈출하는 방법이 장기임대주택등록임을 알 수 있다.

다주택자가 부동산중과세에서 살아남는 방법인 해당 장기임대주택은 주택 수에서 제외(소득세법 시행령 제155조 제2항)됨으로써, 이를 적극적으로 활용함과 동시에 1세대 1주택 요건을 반드시 충족하여 비과세를 적용받아야 한다.

이때 장기임대주택은 단순하게 시·군·구청 등에 주택임대사업으로 등록하였다고, 이 규정이 적용되는 것은 아님을 주의하여야 한다.

즉, 소득세법상 주택임대사업자의 요건인 장기임대주택에 해당되어야 한다는 것이다.

장기임대주택은 소득세법 시행령 제167조의3 제1항 제2호에 규정되어 있다.

장기임대주택이란

- 소득세법상 사업자등록과
- 민간임대주택법상 임대사업자등록(이하 '사업자등록등')을 하고
- 8년 이상 임대의무기간
- 임대 개시일 당시 주택의 기준시가가 6억 원(수도권 밖의 지역은 3억 원)을 초과하지 않는 조건에 해당하는 주택을 말한다.

또한 임대주택등록 후 8년 이상의 의무임대기간 요건을 충족하기 전에 거주주택을 양도하는 경우에도 비과세가 적용된다. 이는 장기임대주택 외에 2년 이상 거주한 거주주택의 과세특례, 즉 해당 장기임대주택은 주택 수에서 제외(소득세법 시행령 제155조 제2항)하기 때문에 가능하다.

그러나 세법개정으로 단 1회의 거주주택 비과세와 임대주택이 여러 채인 경우 임대주택을 거주주택으로 전환하는 경우에도 전체 양도차익에 대해서 과세를 하도록 규정되었다. 다만, 최종적으로 임대주택 1채만 보유하게 된 후 거주주택으로 전환 시에는 직전 거주주택 양도 후 양도차익분에 대해서만 비과세를 적용한다.

그러나 8년의 기간을 채우지 못한 상황에서 임대주택을 양도하는 경우에는 애초 비과세 적용을 받았던 거주주택이 비과세 대상이 아닌 경우의 양도소득세와 비교하여 그 차액에 대하여 자진신고 및 납부를 해야 한다.

Chapter 3 | 1세대 2주택자 중과세금이 도대체 무엇이길래…

Kim Yeon Ju & Lim Jun Chan

주택 수를 계산할 때 제외되는 다양한 주택에도 불구하고 2주택자에 해당되는 경우, 1세대 2주택자의 밤잠을 깨우는 부동산 중과세금에는 과연 어떤 것들이 있을까?

01 조정대상지역 내의 1세대 1주택 비과세 요건 강화 (2년 거주 요건 추가)

2017. 8. 2. 이후 조정대상지역 내의 주택을 취득하는 경우 1세대 1주택 비과세 요건에 2년 거주요건이 추가된다. 여기서 반드시 확인해야 할 사항은 '취득'의 개념이다. 양도소득세법상 취득시기는 원칙적으로 실제 대금이 청산된 날을 취득한 것으로 보고 있다.

다만, 대금청산일이 불분명하거나 대금청산 전에 소유권이전 등기를 한 경우 등기·등록접수일을 말한다.

그 외에도 다양한 형태의 양도가 발생(예컨대 자가건축, 장기할부조건의 매입, 상속이나 증여로 취득하는 등)하는 경우 반드시 취득시점을 명확하게 확인하여야 한다.

양도소득세의 취득시기, 양도시기의 판정은 부동산을 보유한 기간 계산, 보유시점에 따른 양도소득세의 적용세율(1년 미만 보유의 단기양도, 1~2년 미만 보유의 양도), 장기보유특별공제 시 보유기간, 각종 감면 규정과 비과세 여부를 판단할 때 매우 중요한 역할을 한다.

취득시기와 양도시기의 판단에 대한 구체적인 내용은 1세대 1주택 취득시기, 양도시기 파트에서 상세히 확인할 수 있다.

따라서 조정대상지역에서 2017. 8. 2. 이전에 매매계약을 체결하고 잔금까지 청산한 경우에는, 조정대상지역의 해당 주택을 1세대 1주택 판정 시 2년 거주 요건을 적용하지 아니한다.

그리고 2017. 8. 2. 이전에 매매계약은 체결하였으나(매매계약 체결시점에 무주택자에 한하여), 잔금을 8. 2. 이후에 청산한 경우에도 조정대상지역의 해당 주택을 1세대 1주택 판정 시 2년 거주 요건을 적용하지 아니한다.

그러나 조정대상지역에서 2017. 8. 2. 이전에 매매계약을 체결하였으나(매매계약 체결시점에 주택이 있는 경우) 잔금청산시점이 8. 2. 이후에 해당되는 경우에는, 취득시점이 8. 2. 이후이므로 1세대 1주택 판정 시 2년 거주 요건을 반드시 갖추어야 한다.

이처럼 2017. 8. 2.을 전후로 취득시점이 어떻게 귀속되느냐에 따라 세법적용이 완전히 달라진다.

소득세법 시행령 제154조【1세대 1주택의 범위】

① 비과세 양도소득 중 1세대 1주택 요건이란 1세대가 양도일 현재 국내에 1주택을 보유하고 해당 주택의 보유기간이 2년(제8항 제2호에 해당하는 거주자의 주택인 경우는 3년) 이상인 것[취득 당시에 「주택법」 제63조의2 제1항 제1호에 따른 조정대상지역(이하 이 조에서 "조정대상지역"이라 한다)에 있는 주택의 경우에는 해당 주택의 보유기간이 2년(제8항 제2호에 해당하는 거주자의 주택인 경우에는 3년) 이상이고 그 보유기간 중 거주기간이 2년 이상인 것]을 말한다. 다만, 1세대가 양도일 현재 국내에 1주택을 보유하고 있는 경우로서 제1호부터 제3호까지의 어느 하나에 해당하는 경우에는 그 보유기간 및 거주기간의 제한을 받지 아니하며 제4호 및 제5호에 해당하는 경우에는 거주기간의 제한을 받지 아니한다.

부칙〈대통령령 제28293호, 2017. 9. 19.〉
제1조(시행일) 이 영은 공포한 날부터 시행한다.
제2조(1세대 1주택 비과세 요건에 관한 적용례 등)
① 제154조 제1항, 제2항 및 같은 조 제8항 제3호의 개정 규정은 이 영 시행 이후 양도하는 분부터 적용한다.
② 다음 각 호의 어느 하나에 해당하는 주택에 대해서는 제154조 제1항, 제2항 및 같은 조 제8항 제3호의 개정 규정 및 이 조 제1항에도 불구하고 종전의 규정에 따른다.

1. 2017년 8월 2일 이전에 취득한 주택
2. 2017년 8월 2일 이전에 매매계약을 체결하고 계약금을 지급한 사실이 증빙서류에 의하여 확인되는 주택(해당 주택의 거주자가 속한 1세대가 계약금 지급일 현재 주택을 보유하지 아니하는 경우로 한정한다)
3. 2017년 8월 3일 이후 취득하여 이 영 시행 전에 양도하는 주택

02 1세대 2주택자가 조정대상지역 주택을 양도하는 경우 양도소득세율 20% 가산

2021. 6. 1. 이후 1세대 2주택 이상 다주택자(조합원입주권 포함)가 조정대상지역에 해당되는(서울시 전 지역 25개구, 경기, 부산, 세종시 등) 주택을 양도하는 경우 20% 가산된 양도소득세율 26~65%를 적용한다.

2021. 6. 1. 이후 양도	1주택자 (일반세율)		2021. 6. 1. 이후 양도	2주택 중과세 (일반세율+20%)	
과세표준	세율	누진공제	과세표준	세율	누진공제
1,200만 원 이하	6%	-	1,200만 원 이하	26%	-
1,200만 원 초과~ 4,600만 원 이하	15%	1,080,000	1,200만 원 초과~ 4,600만 원 이하	35%	1,080,000
4,600만 원 초과~ 8,800만 원 이하	24%	5,220,000	4,600만 원 초과~ 8,800만 원 이하	44%	5,220,000
8,800만 원 초과~ 1억 5천만 원 이하	35%	14,900,000	8,800만 원 초과~ 1억 5천만 원 이하	55%	14,900,000
1억 5천만 원 초과~ 3억 원 이하	38%	19,400,000	1억 5천만 원 초과~ 3억 원 이하	58%	19,400,000
3억 원 초과~ 5억 원 이하	40%	25,400,000	3억 원 초과~ 5억 원 이하	60%	25,400,000
5억 원 초과~ 10억 원 이하	42%	35,400,000	5억 원 초과~ 10억 원 이하	62%	35,400,000
10억 원 초과	45%	65,400,000	10억 원 초과	65%	65,400,000

조정대상지역에서 1년 이상 보유한 경우에는 양도세 일반세율+20% 가산한 세율을 적용한다. 그리고 조정대상지역에서 1년 미만 보유한 주택을 양도하는 경우에는 MAX [1년 미만 단기보유 시 적용되는 70% 세율과 양도세 일반세율+20% 가산한 중과세율] 중 높은 세액을 적용한다.

03 장기보유특별공제 적용 배제

중과적용지역에서 1세대 2주택자로서 20%의 중과세율을 적용받는 경우에는 장기보유특별공제를 적용하지 아니한다.

(1) 장기보유특별공제란

부동산 중 3년 이상 보유한 토지나 건물을 양도할 때 양도차익의 일정 비율을 공제하는 제도를 말한다.

장기보유특별공제제도는 자산의 보유기간이 3년 이상인 자산에 대하여 그 양도소득금액을 계산할 때에 일정액을 공제하여 줌으로써 장기간 보유한 자산양도에 대해 건전한 부동산의 소유행태를 유도하는 방법으로 양도차익에서 공제한다.

따라서 장기보유특별공제는 양도소득세를 산정 시 세금에 미치는 영향이 크므로, 1세대 2주택자의 양도소득금액을 계산할 때 적용하지 않는 경우 상당한 세부담을 안게 된다.

(2) 장기보유특별공제율

3년 이상 보유한 부동산(건물, 토지, 조합원입주권)을 양도하는 경우(1세대 2주택자, 3주택자 적용 배제) 양도차익에서 장기보유특별공제액을 차감한다. 다만, 30%를 공제한도로 한다.

1세대 1주택에 대해서는 3년 이상 4년 미만의 경우 24%, 매년 8%p 이상, 10년 이상 80%까지 공제한다. 다만, 세법개정으로 2020년 양도분부터 조정대상지역 1세대 1주택자의 장기보유특별공제율을 적용받기 위해서는 2년 거주요건을 충족하여야 한다.

따라서 2년 미만 거주 시 일반 장기보유특별공제(15년, 최대 30%)를 적용하고, 2년 거주요건을 충족하는 경우에는 장기보유특별공제(10년, 최대 80%)를 적용한다.

2021. 1. 1. 이후 양도하는 고가주택의 1세대 1주택자는 9억 원을 초과하는 양도차익에 대한 장기보유특별공제를 적용할 때 보유기간과 거주기간을 각각 구분하여 보유기간별, 거주기간별 4%의 장기보유특별공제율을 계산한다.

1세대 1주택자(실거래가 9억 원을 초과)에 대한 장기보유특별공제율을 최대 80%(10년)를 유지하되, 거주기간 요건을 추가하여 보유기간별 장기보유특별공제율(연 4%)과 거주기간별 장기보유특별공제율(연 4%)을 구분하여 장기보유특별공제율을 적용한다.

<table>
<tr><th colspan="2">일반장기보유
특별공제</th><th colspan="2">1세대 1주택
장기보유특별공제</th><th colspan="2">조세특례제한법
제97조의3(장기
일반민간임대주택)
장기보유특별공제</th><th colspan="2">조세특례제한법
제97조의4
(장기임대주택등)
장기보유특별공제
추가공제율 과세특례</th></tr>
<tr><th>보유기간</th><th>공제율(2%)</th><th>거주기간(4%)</th><th>보유기간(4%)</th><th>보유기간</th><th>공제율</th><th>보유기간</th><th>추가공제율</th></tr>
<tr><td>3년 이상
4년 미만</td><td>6%</td><td>3년 이상
4년 미만: 12%</td><td>3년 이상
4년 미만: 12%</td><td>3년 이상
4년 미만</td><td></td><td>3년 이상
4년 미만</td><td></td></tr>
<tr><td>4년 이상
5년 미만</td><td>8%</td><td>4년 이상
5년 미만: 16%</td><td>4년 이상
5년 미만: 16%</td><td>4년 이상
5년 미만</td><td></td><td>4년 이상
5년 미만</td><td></td></tr>
<tr><td>5년 이상
6년 미만</td><td>10%</td><td>5년 이상
6년 미만: 20%</td><td>5년 이상
6년 미만: 20%</td><td>5년 이상
6년 미만</td><td></td><td>5년 이상
6년 미만</td><td></td></tr>
<tr><td>6년 이상
7년 미만</td><td>12%</td><td>6년 이상
7년 미만: 24%</td><td>6년 이상
7년 미만: 24%</td><td>6년 이상
7년 미만</td><td></td><td>6년 이상
7년 미만</td><td>2% 가산</td></tr>
<tr><td>7년 이상
8년 미만</td><td>14%</td><td>7년 이상
8년 미만: 28%</td><td>7년 이상
8년 미만: 28%</td><td>7년 이상
8년 미만</td><td></td><td>7년 이상
8년 미만</td><td>4% 가산</td></tr>
<tr><td>8년 이상
9년 미만</td><td>16%</td><td>8년 이상
9년 미만: 32%</td><td>8년 이상
9년 미만: 32%</td><td>8년 이상
9년 미만</td><td>50%</td><td>8년 이상
9년 미만</td><td>6% 가산</td></tr>
<tr><td>9년 이상
10년 미만</td><td>18%</td><td>9년 이상
10년 미만: 36%</td><td>9년 이상
10년 미만: 36%</td><td>9년 이상
10년 미만</td><td>50%</td><td>9년 이상
10년 미만</td><td>8% 가산</td></tr>
<tr><td>10년 이상
11년 미만</td><td>20%</td><td rowspan="6">10년 이상:
40%</td><td rowspan="6">10년 이상:
40%</td><td>10년 이상
11년 미만</td><td rowspan="6">70%</td><td>10년 이상
11년 미만</td><td rowspan="6">10% 가산</td></tr>
<tr><td>11년 이상
12년 미만</td><td>22%</td><td>11년 이상
12년 미만</td><td>11년 이상
12년 미만</td></tr>
<tr><td>12년 이상
13년 미만</td><td>24%</td><td>12년 이상
13년 미만</td><td>12년 이상
13년 미만</td></tr>
<tr><td>13년 이상
14년 미만</td><td>26%</td><td>13년 이상
14년 미만</td><td>13년 이상
14년 미만</td></tr>
<tr><td>14년 이상
15년 미만</td><td>28%</td><td>14년 이상
15년 미만</td><td>14년 이상
15년 미만</td></tr>
<tr><td>15년 이상</td><td>30%</td><td>15년 이상</td><td>15년 이상</td></tr>
</table>

04 조정대상지역에 관계없이 2021. 6. 1. 분양권을 1년 이내 양도 시 70%, 1년 경과 후 양도 시 60% 적용

2021. 6. 1. 이후 조정대상지역에 관계없이 분양권(조합원입주권 제외)을 1년 이내 양도 시 70%, 1년 경과 후 양도 시 60% 적용한다.

분양권과 조합원입주권의 구별

비슷하게 보이는 용어이지만, 다양하고 복잡한 양도소득세 규정을 적용하려면 용어에 대한 정의를 명확하게 알고 있어야 한다. 자의적인 해석이나 추정을 하다보면 오류를 범하거나 많은 혼란에 빠지게 된다.

그 대표적인 것이 바로 분양권과 조합원입주권이다. 용어만 보면 분양권이나 조합원입주권 모두 부동산을 취득할 수 있는 권리이므로 성격이 비슷하게 보이지만, 이를 제정한 법규도 다르고 양도소득세에서 적용하고 있는 과세방식도 다르다.

분양권과 조합원입주권

분양권은 「주택법」에 따른 재개발·재건축의 사업계획 승인을 받아 주택을 취득할 수 있는 권리를 말하고, 조합원입주권은 「도시 및 주거환경정비법」에 따라 관리처분계획인가로 취득하는 입주자의 권리이다.

이러한 조합원입주권은 관리처분계획인가 전 주택 보유자가 관리처분계획인가로 받은 입주권을 의미하는 원조합원입주권과 원조합원으로부터 입주권의 대금을 지급하고 취득한 승계입주권으로 나누어진다.

관리처분계획인가란 종전의 토지 또는 건물에 대한 권리를 새로 건설하는 대지와 건축물에 대한 권리로 변환시키는 계획으로서, 주택 등의 분양과 주민의 비용부담을 확정하는 절차를 말한다. 그리고 사업시행자가 관리처분계획에 대한 시장·군수인가를 받아야만 기존 건축물의 철거를 할 수 있다.

분양권은 분양계약 체결일(계약금 지급일)에 권리를 취득한 것으로 보며, 조합원입주권은 관리처분계획인가일 후 입주권으로 전환된다. 조정대상지역 내의 주택 수를 산정할 때 분양권은 주택 수에 포함시키지 않지만, 조합원입주권은 주택 수 계산에 포함하여 계산한다.

다만, 세법개정으로 2021. 1. 1. 이후부터 조정대상지역 내의 다주택자 중과여부를 판단하는 때에는 분양권을 주택 수에 포함하여 계산한다.

또한 분양권은 장기보유특별공제가 적용되지 아니하나, 원조합원(관리처분계획인가 전 주택 보유자가 관리처분계획인가로 받은 입주권)은 구주택 취득일부터 관리처분계획인가일까지의 기간을 산정하여 장기보유특별공제를 적용한다.

그러나 승계입주권을 취득한 자는 주택을 취득한 것이 아니고 조합원의 입주권, 즉 권리를 취득한 것이므로 장기보유특별공제가 적용되지 아니한다.

그리고 2021. 6. 1. 이후 조정대상지역에 관계없이 분양권(조합원입주권 제외)을 1년 이내 양도 시 70%, 1년 경과 후 양도 시 60% 적용한다. 주택과 조합원입주권을 단기양도하는 경우 1년 이내 양도 시 70%, 2년 이내 양도 시 60%의 중과세율을 적용한다.

Chapter 4 1세대 3주택자 중과세 그것이 알고 싶다!

Kim Yeon Ju & Lim Jun Chan

1세대 3주택자의 부동산 보유로 인한 스트레스가 만만치 않다.

3주택자에 해당되는 순간, 조정대상지역의 주택을 양도하는 일은 남의 나라 이야기처럼 되어버린다.

3주택자의 가슴을 답답하게 하는 부동산 중과세금에는 어떤 것들이 있을까?

1세대 3주택자는 앞에서 살펴본 조정대상지역의 1세대 2주택자가 적용받는 중과세금은 모두 해당되며, 양도소득세율에 30%가 가중된 세율을 적용받는다.

• 조정대상지역 내의 1세대 1주택 비과세 요건 강화(2년 거주 요건 추가)
• 장기보유특별공제율 적용 배제
• 1세대 3주택자가 조정대상지역 주택 양도 시 30% 가산

2021. 6. 1. 이후 1세대 3주택 이상 다주택자(조합원입주권 포함)가 조정대상지역(서울시 전 지역 25개구, 경기, 부산, 세종시 등)에서 주택을 양도하는 경우 30%가 가산된 양도소득세 세율 36~75%를 적용한다.

2021. 6. 1. 이후 양도	1주택자 (일반세율)		2021. 6. 1. 이후 양도	3주택 중과세 (일반세율+30%)	
과세표준	세율	누진공제	과세표준	세율	누진공제
1,200만 원 이하	6%	-	1,200만 원 이하	36%	-
1,200만 원 초과~ 4,600만 원 이하	15%	1,080,000	1,200만 원 초과~ 4,600만 원 이하	45%	1,080,000
4,600만 원 초과~ 8,800만 원 이하	24%	5,220,000	4,600만 원 초과~ 8,800만 원 이하	54%	5,220,000
8,800만 원 초과~ 1억 5천만 원 이하	35%	14,900,000	8,800만 원 초과~ 1억 5천만 원 이하	65%	14,900,000
1억 5천만 원 초과~ 3억 원 이하	38%	19,400,000	1억 5천만 원 초과~ 3억 원 이하	68%	19,400,000
3억 원 초과~ 5억 원 이하	40%	25,400,000	3억 원 초과~ 5억 원 이하	70%	25,400,000
5억 원 초과~ 10억 원 이하	42%	35,400,000	5억 원 초과~ 10억 원 이하	72%	35,400,000
10억 원 초과	45%	65,400,000	10억 원 초과	75%	65,400,000

즉, 조정대상지역에서 1년 이상 보유한 경우에는 양도세 일반세율+30% 가산한 세율을 적용한다.

그리고 조정대상지역에서 1년 미만 보유한 주택을 양도하는 경우에는 MAX [1년 미만 단기보유 시 적용되는 70% 세율과 양도세 일반세율+30% 가산한 중과세율] 중 높은 세액을 적용한다.

Chapter 5 1세대 2·3주택자 부동산 세금 왜 이리 복잡해?

Kim Yeon Ju & Lim Jun Chan

주택과 관련된 세금은 왜 이리도 복잡한 것일까? 장님이 코끼리를 만지듯 이쪽 측면에서 보면 긴 코만 보이고 저쪽 측면에서 보면 두꺼운 다리만 만져지는 것처럼, 1세대 2주택·3주택자의 세금관련 내용을 보면 방향잡기가 쉽지 않다.

먼저, 암호처럼 난해한 다주택자 세금과 관련된 법규부터 알아보자.

이러한 복잡한 원인을 들여다보면, 주택은 전 국민의 주거안정을 위한 가장 중요한 수단임과 동시에, 전 국민의 자산증식의 재테크로 이어진다.

이 흐름은 투기바람까지 일으키게 되어, 집값 상승을 동반하고 경제 전반을 혼란시키게 된다. 이에 정부는 주택가격 안정과 주거안정을 위하여 주택과 주택 양도와 관련된 다양한 법규에 추가사항을 더하고 삭제하며, 특별법까지 만들어 적용하고 있다.

그런데 납세자 입장에서는 결과적으로 주택을 양도했을 때 얼마의 세금을 중과받는지 혹은 감면받는지만 궁금할 뿐이며, 주택을 팔았을 때 적용되는 규정은 양도소득세만 있다고 생각하는 경우가 많다. 그러나 이러한 양도소득세 세금을 알기 위해서는 소득세법의 하나인 양도소득세뿐 아니라, 주택과 얽혀있는 다른 법 규정도 해석해야 하는 일이 발생하게 된다.

따라서 양도소득세 하나만 알고 접근하기에는 1세대 2주택자, 3주택자, 다주택자의 현실은 복잡다단하며, 주택과 관련된 규정들은 생각보다 넓다.

주택과 관련된 다양한 개념을 이해하고 주택 양도 시 적용되는 세법 규정을 알기 위해서, 관련 법규에는 어떤 것들이 있는지 살펴보자.

01 민간임대주택특별법과 양도소득세 그리고 조세특례제한법의 관계

민간임대주택특별법은 민간임대주택의 건설·공급 및 관리와 민간주택임대사업자 육성 등에 관한 사항을 정함으로써 민간임대주택의 공급을 촉진하고 국민의 주거생활을 안정시키는 것을 목적으로 한다.

주의할 사항은 민간임대주택특별법(이하 민간임대주택법)은 세법상 각종 감면·공제를 위한 요건이나 규정이 아니라, 지방자치단체에 등록하게 되는 임대주택의 종류와 임대등록요건, 임대등록절차 및 임대사업의 의무규정과 이를 위반한 경우 과태료 등에 대한 사항을 규정하고 있다는 것이다.

그리고 임대사업을 통한 각종 세액공제 및 감면, 종합소득세 감면 등과 관련된 사항은 소득세법, 소득세법 시행령, 조세특례제한법에 따른 세법상의 임대사업자 요건을 충족할 때 적용되는 것이다.

따라서 민간임대주택법상의 시·군·구청에 임대사업을 등록했다는 이유만으로 세법상의 각종 세액공제와 감면을 적용받는 것이 아니라, 소득세법과 조세특례제한법상의 세법상 요건, 임대사업자 요건 등에 부합될 때 양도소득세의 장기보유특별공제, 양도소득세 감면, 종합소득세 감면 등을 적용받는 것이므로 반드시 주의하여야 한다.

02 민간임대주택특별법

민간임대주택의 공급을 촉진하고 국민의 주거생활을 안정시키는 것을 목적으로 민간임대주택의 건설·공급·관리, 민간주택 임대사업자의 육성 등에 관한 사항을 정한 법(국토교통부)이다.

2015년 8월 28일 공포되고, 2015년 12월 29일부터 시행되었다. 1984년 제정된 '임대주택건설촉진법'이 전부 개정되어 1993년 '임대주택법'으로 법률명이 변경되었고, 2015년 다시 내용을 개정하여 '민간임대주택에 관한 특별법'이 되었다.

민간임대주택'이란 임대 목적으로 제공하는 주택으로, 임대사업자가 「민간임대주택에 관한 특별법」(이하 민간임대주택법) 제5조에 따라 등록한 주택을 말한다.

이때 주택에는 토지를 임차하여 건설된 주택 및 전용면적이 85㎡ 이하이고 상하수도 시설이 갖추어진 전용입식 부엌, 전용 수세식 화장실 및 목욕시설(전용 수세식 화장실에 목욕시설을 갖춘 경우를 포함한다)을 갖춘 오피스텔 등의 준주택을 포함한다.

또한 민간임대주택으로 등록한 준주택은 주거용이 아닌 용도로 사용할 수 없다.

'임대사업자'란 「공공주택 특별법」 제4조 제1항에 따른 공공주택사업자(이하 "공공주택사업자"라 한다)가 아닌 자로서 1호 이상의 민간임대주택을 취득하여 임대하는 사업을 할 목적으로 「민간임대주택법」 제5조에 따라 등록한 자를 말한다.

민간임대주택법상의 임대주택의 구분은 취득세 및 재산세 등의 지방세 감면을 적용할 때 중요한 의미를 가진다. 그리고 민간임대주택법상 임대사업으로 등록한 임대주택의 연간 임대료는 연 5% 증액을 제한하고 있는바, 만약 임대료 상한선을 지키지 못한 경우에는 과태료가 부과되고 있다.

지방세 감면요건과 과태료 적용여부를 판단할 때 민간임대주택법상의 임대주택은 중요한 의미를 가지게 된다.

2020년 7·10 대책으로 단기임대주택 등록이 불가능하며, 단기임대주택의 장기일반민간임대주택으로의 전환이 되지 않는다. 그리고 아파트는 장기일반민간임대주택 등록을 할 수 없으며, 아파트를 제외한 주택(다세대, 다가구, 단독주택, 오피스텔 등)의 장기일반민간임대주택의 등록은 가능하다. 장기임대주택의 경우 최소 의무기간이 8년에서 10년으로 임대의무기간이 연장된다. 단기 및 장기일반민간임대주택으로 등록된 임대주택의 임대의무기간 경과 후에는 임대등록이 자동 말소된다. 이는 장기임대등록을 통한 세입자의 주거안정과 아파트의 투기과열을 방지하기 위해 임대주택에 대한 세제혜택은 거의 사라지고 있음을 알 수 있다.

03 양도소득세

양도소득세는 주택 등을 유상으로 매매하여 얻은 양도 차익에 대하여 부과하는 세금이다. 기획재정부가 세율을 조정한다.

즉, 양도소득세는 주택 등을 양도하여 발생하는 양도소득을 과세대상으로 한다. 양도소득이란, 주택 등의 보유이익이 양도라는 과정을 거쳐 매매가 실현됨으로써 발생된 소득이다.

이러한 주택 등의 매매가 계속적이거나 반복적으로 발생하는 경우에는 주택 매매 등을 주된 사업으로 보아 종합소득(사업소득)으로 과세하고, 일시적이거나 우발적으로 매매가 일어나는 경우에는 양도소득으로 구분하여 과세하고 있다. 이러한 양도소득세는 소득세의 하나이며 국세에 해당된다.

주택은 주거목적의 가장 기본적인 기능과 동시에 보유기간 동안의 지가 상승을 통한 자산증식의 수단으로 이용되고 있는 것이 현실이다.

이에 정부는 양도소득세의 세율인상이나 공제배제 등의 다양한 수단을 통해 투기세력을 억제하거나 경기침체를 극복하고 경기부양 목적을 달성하기 위하여 양도세 감면과 비과세 등을 정책적으로 활용하고 있다. 따라서 양도소득세는 정부의 조세정책과 경기전반의 상황을 잘 반영하는 가장 탄력적인 조세법이라 할 수 있다.

한마디로 양도소득세는 생물이라 해도 과언이 아니다.

소득세법의 하나인 양도소득세에는 양도소득에 대한 비과세 및 감면, 양도소득 과세표준과 세액의 계산, 양도소득금액의 계산, 양도소득 기본공제, 양도소득에 대한 세액의 계산, 양도소득 과세표준의 예정신고와 자진납부, 양도소득 과세표준의 확정신고와 자진납부, 양도소득에 대한 결정·경정과 징수 및 환급, 국외자산양도에 대한 양도소득세 등에 대해 규정하고 있다.

04 조세특례제한법

이 법은 조세의 감면 또는 중과 등의 조세특례와 제한에 관한 사항을 규정하여 과세의 공평을 기하고 조세정책을 효율적으로 수행함으로써 국민경제의 건전한 발전에 이바지함을 목적으로 한다.

일정한 요건에 해당하는 경우 특례세율의 적용, 세액감면, 세액공제, 소득공제, 준비금의 손금산입 등의 조세감면과 특정목적을 위한 익금산입, 손금불산입 등의 중과세를 적용하는 것을 말한다.

특히 국민주거생활의 안정을 위한 조세특례 규정에는 경기활성화와 주거안정을 위한 임대주택에 대한 다양한 세제혜택을 주고 있다. 장기임대주택, 신축임대주택, 미분양주택, 신축주택 등의 양도소득세 감면과 주택 수를 산정할 때 소유주택으로 보지 않는 등의 세제혜택을 지원하고 있다. 기획재정부가 세율을 조정한다.

<u>조세특례제한법상 제97조의3 장기일반민간임대주택 양도소득세 과세특례</u>

거주자가 [민간임대주택법]에 따른 공공지원민간임대주택 또는 장기일반민간임대주택을 등록하고 다음의 요건을 충족하는 경우(이하 장기일반민간임대주택등), 그 주택을 양도함으로써 발생하는 소득에 대한 장기보유특별공제율을 50% 적용한다. 다만, 장기일반민간임대주택등을 10년 이상 계속하여 임대한 경우에는 70%의 장기보유특별공제율을 적용한다.

- 2020. 12. 31.까지 [민간임대주택법]에 따른 민간임대주택으로 등록
- 전용면적 85㎡ 이하
- 임대 개시 당시 기준시가 6억 원 이하(수도권 외 지역 3억 원)
- 8년 이상 임대한 후 양도
- 연간 임대료 5% 증액 제한
- 과세특례 적용신청

조세특례제한법 제97조의3 규정은 2020. 12. 31. 일몰규정으로 2020. 12. 31.까지 해당 주택을 장기일반임대주택으로 등록한 경우에 한하여 장기보유특별공제를 적용한다. 2021년 이후부터는 이 규정은 삭제되는바, 이를 일몰규정이라 한다.

조세특례제한법상 제97조의5 장기일반민간임대주택 양도소득세 감면

거주자가 [민간임대주택법]에 따른 공공지원민간임대주택 또는 장기일반민간임대주택을 등록하고 다음의 요건을 충족하는 경우(이하 장기일반민간임대주택등), 그 주택을 양도함으로써 발생하는 소득의 100%를 감면한다. 단, 제97조의3 장기보유특별공제 혜택과 중복적용하지 아니한다.

- 2018년 12월 31일까지 [민간임대주택법]에 따른 민간매입임대주택 및 [공공주택특별법]에 따른 공공매입임대주택을 취득(2018년 12월 31일까지 매매계약을 체결하고 계약금을 납부한 경우도 포함)하고 취득일부터 3개월 이내에 [민간임대주택법]에 따라 장기일반민간임대주택등으로 등록할 것
- 장기일반민간임대주택등으로 등록 후 10년 이상 계속 임대하고 양도할 것
- 연간 임대료 5% 증액 제한
- 과세특례 적용신청

조세특례제한법 제97조의5는 2018. 12. 31. 일몰규정으로 2018. 12. 31.까지 해당 주택을 장기일반임대주택으로 등록한 경우에 한하여 양도세 감면을 적용한다. 2019년 이후부터는 이 규정은 삭제되었는바, 이를 일몰규정이라 한다.

조세특례제한법상 준공공임대주택의 세제혜택

구분	2021. 12. 31. 일몰규정 조세특례제한법 제97조의3 (8년 임대 시 장기보유특별공제 50%, 10년 이상 장기보유특별공제 70%)	2018. 12. 31. 일몰규정 조세특례제한법 제97조의5 (양도소득세 100% 감면)
가액요건	주택 임대 개시 당시 기준시가 6억 원 (수도권 외 지역 3억 원) 이하	주택 임대 개시 당시 기준시가 6억 원 (수도권 외 지역 3억 원) 이하
적용요건	① 국민주택규모(85㎡) 이하 ② 8년(10년) 이상 임대 ③ 임대료 인상률 제한(연간 5%)	① 국민주택규모(85㎡) 이하 ② 8년(10년) 이상 임대 ③ 임대료 인상률 제한(연간 5%)
등록시기	제한 없음.	취득일로부터 3개월 이내 등록
특례내용	8년 임대 시 장기보유특별공제 50%, 10년 이상 장기보유특별공제 70%	양도세 100% 감면
임대조건	8년(10년) 이상 계속하여 임대	8년(10년) 이상 계속하여 임대
임대기간 기산	「민간임대주택법」상 임대사업자 등록과 「소득세법」상 사업자등록을 한 이후부터 계산	「민간임대주택법」상 임대사업자 등록과 「소득세법」상 사업자등록을 한 이후부터 계산
농어촌 특별세	부과하지 않음.	감면세액의 20% 부과
특례신청	신청	신청
중복적용	중복적용 배제하고 둘 중 선택	중복적용 배제하고 둘 중 선택

Chapter 6 조정대상지역의 세금 분석

Kim Yeon Ju & Lim Jun Chan

8·2 대책의 핵심은 주택의 실수요자를 보호하고, 단기투기억제를 통한 주택시장 안정화이다.

그중에서 주택투기의 바람이 일고 있는 조정대상지역을 선정하여, 이러한 조정대상지역에서 주택매매가 이루어지는 경우 양도소득세의 일반세율에 20% 가산(1세대 2주택자)하거나 30% 가산(1세대 3주택자)하고 장기보유특별공제를 배제한다.

또한 1세대 1주택 비과세 요건을 강화하여 2년 이상 거주하여야 하는 의무규정을 도입하였다.

정부에서 선정하고 있는 지역은 조정대상지역뿐만 아니라 투기과열지구와 투기지역이 추가로 있다. 양도소득세를 통한 규제의 강도를 살펴보면 투기지역이 가장 강하고 투기과열지구, 조정대상지역 순서임을 알 수 있다.

또한 이러한 지역을 선정하는 주체, 즉 관할하는 법규도 서로 다르므로, 지역선정을 하게 되는 기준과 그 본질에 대해 먼저 알아볼 필요가 있다.

조정대상지역의 지정 및 해제는 주택법에 근거가 있다. 주택법에서 지정하고 있는 조정대상지역은 무엇이며, 도대체 왜 이런 지역을 선정하는 것일까? 이 지역에 걸려들면 어떤 세금폭탄이 날아드는 것일까?

01 조정대상지역 선정

주택법은 국민의 쾌적하고 살기 좋은 주거환경 조성에 필요한 주택의 건설·공급 및 주택시장의 관리 등에 관한 사항을 정함으로써 국민의 주거안정과 주거수준의 향상에 이바지함을 목적으로 하며, 국토교통부가 관할하는 법규이다.

국토교통부 장관은 다음에 해당하는 지역으로서, 국토교통부령으로 정하는 기준을 충족하는 지역을 주거정책심의위원회의 심의를 거쳐 조정대상지역(이하 "조정대상지역"이라 한다)으로 지정할 수 있다.

이 경우 제1호에 해당하는 조정대상지역의 지정은 그 지정 목적을 달성할 수 있는 최소한의 범위로 한다.

- 주택가격, 청약경쟁률, 분양권 전매량 및 주택보급률 등을 고려하였을 때 주택 분양 등이 과열되어 있거나 과열될 우려가 있는 지역
- 주택가격, 주택거래량, 미분양주택의 수 및 주택보급률 등을 고려하여 주택의 분양·매매 등 거래가 위축되어 있거나 위축될 우려가 있는 지역

02 조정대상지역

2020. 12. 18. 현재 조정대상지역은 다음과 같다.

구분	조정대상지역
서울	서울시 전 지역 25개구 강남, 서초, 송파, 강동, 용산, 성동, 노원, 마포, 양천, 영등포, 강서, 구로, 금천, 동작, 관악, 은평, 서대문, 종로, 중구, 성북, 강북, 도봉, 중랑, 동대문, 광진
경기도	과천시, 성남시, 하남시, 화성시 동탄, 광명시, 구리시, 안양시 동안·만안, 광교지구, 수원시 팔달·장안·영통·권선, 용인시 기흥·수지, 의왕시, 고양시, 남양주시, 화성시, 군포시, 안성시, 부천시, 안산시, 시흥시, 용인시 처인, 오산시, 평택시, 광주시, 양주시, 의정부시, 김포시, 파주시
인천	중, 동, 미추홀, 연수, 남동, 부평, 계양, 서
대전	동, 중, 서, 유성, 대덕
대구	수성, 중, 동, 서, 남, 북, 달서, 달성군
세종특별시	세종특별자치시

구분	조정대상지역
충북	청주
부산	해운대, 수영, 동래, 남, 연제, 서, 동, 영도, 부산진, 금정, 북, 강서, 사상, 사하
광주	동, 서, 남, 북, 광산
울산	중, 남
충남	천안시 동남, 서북, 논산시, 공주시
전북	전주시 완산, 덕진
전남	여수시, 순천시, 광양시
경북	포항시 남, 경산시
경남	창원시 성산

03 조정대상지역에서의 중과세

(1) 양도소득세 기본세율에 20% · 30% 가산 및 장기보유특별공제 배제

1세대 2주택자가 조정대상지역에서 주택을 매매하는 경우 2021년 6월 1일 이후부터 양도소득세 일반세율 20%를 가산하여 적용한다. 그리고 1세대 3주택자가 조정대상지역에서 주택을 양도하는 경우 2021년 6월 1일 이후부터 양도소득세 일반세율에 30%를 가산한다.

현재 일반적인 양도소득세율이 6~45%이므로 여기에 20%가 가산되면 26~65%가 적용되고, 3주택자가 되어 30%가 가산되면 36~75%까지 중과세를 부담하게 된다. 또한 장기간에 걸쳐서 형성된 매매차익에 대해 일정률을 공제해주는 장기보유특별공제를 적용하지 아니한다.

2021. 6. 1. 이후 양도	2주택 중과세 (일반세율+20%)		2021. 6. 1. 이후 양도	3주택 중과세 (일반세율+30%)	
과세표준	세율	누진공제	과세표준	세율	누진공제
1,200만 원 이하	26%	-	1,200만 원 이하	36%	-
1,200만 원 초과~ 4,600만 원 이하	35%	1,080,000	1,200만 원 초과~ 4,600만 원 이하	45%	1,080,000
4,600만 원 초과~ 8,800만 원 이하	44%	5,220,000	4,600만 원 초과~ 8,800만 원 이하	54%	5,220,000
8,800만 원 초과~ 1억 5천만 원 이하	55%	14,900,000	8,800만 원 초과~ 1억 5천만 원 이하	65%	14,900,000
1억 5천만 원 초과~ 3억 원 이하	58%	19,400,000	1억 5천만 원 초과~ 3억 원 이하	68%	19,400,000
3억 원 초과~ 5억 원 이하	60%	25,400,000	3억 원 초과~ 5억 원 이하	70%	25,400,000
5억 원 초과~ 10억 원 이하	62%	35,400,000	5억 원 초과~ 10억 원 이하	72%	35,400,000
10억 원 초과	65%	65,400,000	10억 원 초과	75%	65,400,000

(2) 1세대 1주택 비과세를 판정할 때 2년의 거주기간 추가 적용

2017년 8월 3일 이후 조정대상지역에 있는 주택을 취득하고 1세대 1주택 비과세 여부를 판정하는 경우, 조정지역 내의 주택에 대해 2년의 보유기간 외에도 2년의 거주기간을 추가하여 비과세를 판정한다.

(3) 2021. 6. 1. 이후 조정대상지역에 관계없이 분양권을 1년 이내 양도 시 70%, 1년 경과 후 양도 시 60% 적용

2021년 6월 1일 이후부터 조정대상지역에 관계없이 분양권은 1년 이내 양도하는 경우 70%, 1년 경과 후 양도하는 때에는 60% 세율을 적용한다.

(4) 기타의 제재 강화

청약 1순위 자격요건이 강화되었다. 즉, 청약통장에 가입한 후 2년이 경과되고 월 1회 납입하여 24회 이상이거나 납입금이 청약예치금의 기준금액 이상이 되어야 한다.

또한 청약가점제 적용비율이 확대되어 주택청약 1순위로 당첨될 확률이 상당히 줄어들었다. 조정대상지역에서의 오피스텔 전매행위는 소유권이전등기 시까지 제한되고, 지역 거주자에 대해 우선 분양을 적용해야 한다.

Chapter 7

투기과열지구의 세금 분석

Kim Yeon Ju & Lim Jun Chan

투기과열지역은 어디이며, 이런 지역을 선정하는 이유는 무엇일까? 이 지역에 해당되면 어떤 부동산 제재가 기다리고 있는 것일까?

01 투기과열지구 지정

주택법은 국민의 쾌적하고 살기 좋은 주거환경 조성에 필요한 주택의 건설·공급 및 주택시장의 관리 등에 관한 사항을 정함으로써 국민의 주거안정과 주거수준의 향상에 이바지함을 목적으로 하며, 국토교통부가 관할하는 법규이다.

국토교통부 장관 또는 시·도지사는 주택가격의 안정을 위하여 필요한 경우에는 주거정책심의위원회(시·도지사의 경우에는 「주거기본법」 제9조에 따른 시·도 주거정책심의위원회를 말한다. 이하 이 조에서 같다)의 심의를 거쳐 일정한 지역을 투기과열지구로 지정하거나 이를 해제할 수 있다.

이 경우 투기과열지구의 지정은 그 지정 목적을 달성할 수 있는 최소한의 범위로 한다.

해당 지역의 주택가격 상승률이 물가 상승률보다 현저히 높은 지역으로서 그 지역의 청약경쟁률·주택가격·주택보급률 및 주택공급계획 등과 지역 주택시장 여건 등을 고려하였을 때 주택에 대한 투기가 성행하고 있거나 성행할 우려가 있는 지역 중 국토교통부령으로 정하는 기준을 충족하는 곳이어야 한다.

02 투기과열지구

(2020. 12. 18. 현재)

구분	투기과열지구
서울	전 지역
경기도	과천시, 성남시 분당, 광명시, 하남시, 수원시, 성남시 수정, 안양시, 안산시 단원, 구리시, 군포시, 의왕시, 용인시 수지·기흥·동탄
인천	연수, 남동, 서
대전	동, 중, 서, 유성
대구	수성
세종특별시	세종시
경남	창원시 의창

03 투기과열지구의 중과세

조정대상지역과 투기과열지구가 중복되는 지역

- 조정대상지역에 해당되므로 다음의 양도소득세 관련 중과세금은 모두 적용된다.
- 투기과열지구에 해당되고 조정대상지역에 해당되지 아니하는 경우에는 조정대상지역에 적용되는 부동산 중과규정을 적용하지 아니한다.

(1) 양도소득세 기본세율에 20% · 30% 가산 및 장기보유특별공제 배제

1세대 2주택자가 조정대상지역에서 주택을 매매하는 경우 2021년 6월 1일 이후부터 양도소득세 일반세율 20%를 가산하여 적용한다. 그리고 1세대 3주택자가 조정대상지역에서 주택을 양도하는 경우 2021년 6월 1일 이후부터 양도소득세 일반세율에 30%를 가산한다.

현재 일반적인 양도소득세율이 6~45%이므로 여기에 20%가 가산되면 26~65%가 적용되고, 3주택자가 되어 30%가 가산되면 36~75% 까지 중과세를 부담하게 된다. 또한 장기간에 걸쳐서 형성된 매매차익에 대해 일정률을 공제해주는 장기보유특별공제를 적용하지 아니한다.

2021. 6. 1. 이후 양도	2주택 중과세 (일반세율+20%)		2021. 6. 1. 이후 양도	3주택 중과세 (일반세율+30%)	
과세표준	세율	누진공제	과세표준	세율	누진공제
1,200만 원 이하	26%	-	1,200만 원 이하	36%	-
1,200만 원 초과~ 4,600만 원 이하	35%	1,080,000	1,200만 원 초과~ 4,600만 원 이하	45%	1,080,000
4,600만 원 초과~ 8,800만 원 이하	44%	5,220,000	4,600만 원 초과~ 8,800만 원 이하	54%	5,220,000
8,800만 원 초과~ 1억 5천만 원 이하	55%	14,900,000	8,800만 원 초과~ 1억 5천만 원 이하	65%	14,900,000
1억 5천만 원 초과~ 3억 원 이하	58%	19,400,000	1억 5천만 원 초과~ 3억 원 이하	68%	19,400,000
3억 원 초과~ 5억 원 이하	60%	25,400,000	3억 원 초과~ 5억 원 이하	70%	25,400,000
5억 원 초과~ 10억 원 이하	62%	35,400,000	5억 원 초과~ 10억 원 이하	72%	35,400,000
10억 원 초과	65%	65,400,000	10억 원 초과	75%	65,400,000

(2) 1세대 1주택 비과세를 판정할 때 2년의 거주기간 추가 적용

2017년 8월 3일 이후 조정대상지역에 있는 주택을 취득하고 1세대 1주택 비과세 여부를 판정하는 경우, 조정지역 내의 주택에 대해 2년의 보유기간 외에도 2년의 거주기간을 추가하여 비과세를 판정한다.

(3) 2021. 6. 1. 이후 조정대상지역에 관계없이 분양권을 1년 이내 양도 시 70%, 1년 경과 후 양도 시 60% 적용

2021년 6월 1일 이후부터 조정대상지역에 관계없이 분양권을 1년 이내 양도하는 경우 70%, 1년 경과 후 양도하는 때에는 60% 세율을 적용한다.

(4) 투기과열지구 내의 주택 취득 시 주택자금조달계획 신고

2017년 9월 26일부터 투기과열지구 내에 3억 원 이상인 주택을 체결한 매수자는 계약체결일부터 30일 이내에 거래신고 시 자금조달 및 입주계획서를 제출해야 한다.

- 주택취득 자금조달 및 입주계획서

(5) 기타의 제재 강화

청약 1순위 자격요건이 강화되어 청약통장 가입 후 2년이 경과하고, 월 1회 납입하여 24회 이상이거나 납입금이 청약예치금의 기준금액 이상이 되어야 한다.

또한 청약가점제 적용비율이 확대되어 주택청약 1순위로 당첨될 확률이 상당히 줄어들었으며, 총부채상환비율(LTV)·담보대출인정비율(DTI) 등이 강화된다.

조정대상지역에서의 오피스텔 전매행위가 소유권이전등기 시까지 제한되고, 지역 거주자에 대해 분양을 우선 적용해야 한다.

그리고 재개발 등 조합원분양권의 소유권이전등기 시까지 전매제한이 적용되며, 정비사업 분양재당첨이 5년간 제한된다.

투기과열지구에만 해당되는 경우

- 투기과열지구에만 지정된 때에는 조정대상지역에 적용되는 부동산 중과규정은 적용하지 아니하고, 주택 취득 시 주택자금조달계획 신고서 제출 등과 여타의 다른 규제들은 적용받게 된다.
- 2017년 9월 26일부터 투기과열지구 내에 3억 원 이상인 주택을 체결한 매수자는 계약체결일부터 30일 이내에 거래신고 시 자금조달 및 입주계획서를 제출해야 한다.

■ 부동산 거래신고 등에 관한 법률 시행규칙 [별지 제1호의2 서식]

부동산거래관리시스템(rtms.molit.go.kr)에서도 신청할 수 있습니다.

주택취득 자금조달 및 입주 계획서 (해당자만 기재)

<table>
<tr><td rowspan="2">제출인
(매수인)</td><td colspan="2">성명(법인명)</td><td>주민등록번호(법인·외국인등록번호)</td></tr>
<tr><td colspan="2">주소(법인소재지)</td><td>(휴대)전화번호</td></tr>
<tr><td rowspan="6">① 자금
조달계획</td><td rowspan="3">자기
자금</td><td>② 금융기관 예금액
원</td><td>③ 부동산매도액 등
원</td></tr>
<tr><td>④ 주식·채권 매각대금
원</td><td>⑤ 보증금 등 승계
원</td></tr>
<tr><td>⑥ 현금 등 기타
원</td><td>⑦ 소계
원</td></tr>
<tr><td rowspan="2">차입금등</td><td>⑧ 금융기관 대출액
원</td><td>⑨ 사채
원</td></tr>
<tr><td>⑩ 기타
원</td><td>⑪ 소계
원</td></tr>
<tr><td>⑫ 합계</td><td colspan="2">원</td></tr>
<tr><td colspan="2">⑬ 입주 계획</td><td>[ ]본인 입주 [ ]본인 외 가족 입주
(입주 예정 시기 : 년 월)</td><td>[ ]임대(전·월세)</td></tr>
</table>

「부동산 거래신고 등에 관한 법률」시행령 제3조제1항, 같은 법 시행규칙 제2조 제5항부터 제7항까지의 규정에 따라 위와 같이 주택취득자금 조달 및 입주 계획을 신고합니다.

년 월 일

제출인 (서명 또는 인)

시장·군수·구청장 귀하

유의사항

1. 제출하신 자금조달 및 입주 계획서는 국세청 등에 관계기관에 통보되어, 신고내역 조사 및 관련 세법에 따른 조사 시 참고자료로 활용됩니다.
2. 자금조달 및 입주 계획서를 계약체결일로부터 60일 이내에 제출하지 않거나, 거짓으로 작성하는 경우 법 제28조제2항 또는 제3항에 따라 과태료가 부과되오니 이점 유의하시기 바랍니다.
3. 본 서식은 부동산거래계약 신고서 접수 전에는 제출이 불가하오니 별도 제출하는 경우에는 미리 부동산거래계약 신고서의 제출여부를 해당 신고서 제출자 또는 신고관청에 확인하시기 바랍니다.

작성방법

1. ① 자금조달계획란에는 해당 주택의 취득에 소요되는 자금의 조달계획에 대하여 기재하고, 매수인이 다수인 경우에는 각 매수인별로 작성하며, 각 매수인별 금액을 합산한 총 금액과 거래신고 된 실제 거래금액이 일치하여야 합니다.
2. ②~⑥에는 자기자금을 종류별로 구분하여 중복되지 아니하게 기재합니다.
3. ② 금융기관 예금액란에는 금융기관에 예치되어 있는 본인명의의 예금(적금 등)을 통해 조달하고자 하는 자금을 기재합니다.
4. ③ 부동산매도액 등란에는 본인 소유 부동산의 매도를 통해 조달하고자 하는 자금 또는 재건축, 재개발시 발생한 종전부동산 권리가액 등을 기재합니다.
5. ④ 주식·채권 매각대금란에는 본인명의 주식·채권 및 각종 유가증권 매각 등을 통해 조달하고자 하는 자금을 기재합니다.
6. ⑤ 보증금 등 승계란에는 임차인의 보증금 등 승계하는 자금을 기재합니다. (대출금 승계는 제외)
7. ⑥ 현금 등 기타란에는 현금으로 보유하고 있는 자금 및 ②~⑤에 포함되지 않는 기타 본인의 자산을 통해 조달하고자 하는 자금(금융기관 예금액 이외의 각종 금융상품 및 간접투자상품을 통해 조달하고자 하는 자금 포함)을 기재합니다.
8. ⑧~⑩에는 자기자금을 제외한 외부 차입금 등을 종류별로 구분하여 중복되지 아니하게 기재합니다.
9. ⑧ 금융기관 대출액란에는 금융기관으로부터의 각종 대출을 통해 조달하고자 하는 자금 또는 매도인의 대출금 승계 자금을 기재합니다.
10. ⑨ 사채란에는 금융기관 이외의 법인 또는 개인사업자 등으로부터 차입을 통해 조달하고자 하는 자금을 기재합니다.
11. ⑩ 기타란에는 ⑧~⑨에 포함되지 않는 그 밖의 차입금 등을 기재합니다.
12. ⑦에는 ②~⑥의 합계액을, ⑪에는 ⑧~⑩의 합계액을, ⑫에는 ⑦과 ⑪의 합계액을 기재하며, 부동산거래계약 신고서의 실제 거래금액과 일치하여야 합니다.
13. ⑬ 입주계획란에는 해당 주택의 거래계약을 체결한 이후 첫 번째 입주자 기준으로 기재하며, 본인입주란 매수인 및 주민등록상 동일세대원이 함께 입주하는 경우, 본인 외 가족입주란 매수인과 주민등록상 세대가 분리된 가족이 입주하는 경우를 말하며, 이 경우에는 입주 예정 시기를 기재합니다. 또한 첫 번째 입주자가 다세대, 다가구 등 2세대 이상인 경우에는 해당 항목별로 중복하여 기재합니다.

210mm×297mm[백상지(80g/㎡) 또는 중질지(80g/㎡)]

Chapter 8 | 투기지역 세금 분석

Kim Yeon Ju & Lim Jun Chan

투기지역의 지정 및 해제는 소득세법의 양도소득세에 근거하고 있다. 소득세법에서 지정하고 있는 투기지역은 무엇이며, 왜 이런 지역을 선정하는 것일까? 부동산 규제가 제일 강한 투기지역은 어떤 세금으로 밤잠을 설치게 되는 것일까?

01 투기지역 지정

주택은 주거목적의 가장 기본적인 역할과 동시에 보유기간 동안의 지가 상승을 통한 재테크의 수단으로 적극 이용되고 있는 것이 현실이다.

이에 정부는 양도소득세의 세율인상이나 장기보유특별공제 배제 등의 다양한 수단을 통해 투기세력을 억제하고 있다.

기획재정부 장관은 해당 지역의 부동산 가격 상승률이 전국 소비자물가 상승률보다 높은 지역으로서 전국 부동산 가격 상승률 등을 고려할 때, 그 지역의 부동산 가격이 급등하였거나 급등할 우려가 있는 경우에는 대통령령으로 정하는 기준 및 방법에 따라 그 지역을 투기지정지역으로 지정할 수 있다.

02 투기지역

투기지역은 2012년 5월 15일 강남 3구(강남, 서초, 송파)를 마지막으로, 전국의 투기지역 지정지역이 전부 해제되면서 사문화된 조항으로 남아 있었다. 그러나 이번 8·2 부동산 대책을 통해 다시금 부활하였다.

여기에 강동·용산·성동·노원·마포·양천·영등포·강서구가 지정되고 추가로 동대문구, 종로구, 중구, 동작구가 2018년에 투기지역으로 편입되었다. 이와 함께 청약경쟁 과열 양상을 보였던 세종시도 포함되었다.

이들 지역은 투기지역은 물론, 투기과열지구, 조정대상지역에 해당되어, 각종의 양도소득세 중과와 다양한 부동산 제제 등을 받게 된다.

구분	지역
서울	강남·서초·송파·강동·용산·성동·노원·마포·양천·영등포·강서·동대문·종로·동작·중구
세종특별자치시	세종특별자치시(신행정수도 후속대책을 위한 연기·공주지역 행정중심복합도시 건설을 위한 특별법 제2조 제2호에 따른 예정 지역으로 고시된 지역에 한정)
	행정중심복합도시 예정 지역(건설교통부) • 연기군 - 금남면 반곡리·봉기리·석교리·석삼리 전 지역 / 대평리·부용리·성덕리·신촌리·영곡리·용포리·장재리·호탄리·황용리 일부 지역 - 남면 갈운리·고정리·나성리·방축리·송담리·송원리·양화리·월산리·종촌리·진의리 전 지역 / 보통리·연기리 일부 지역 - 동면 용호리 전 지역 / 문주리·합강리 일부 지역 • 공주시 - 장기면 당암리 전 지역 / 금암리·산학리·합강리 일부 지역 - 반포면 원봉리 일부 지역

03 투기지역에서의 중과세금

(1) 양도소득세 기본세율에 20% · 30% 가산 및 장기보유특별 공제 배제

1세대 2주택자가 조정대상지역에서 주택을 매매하는 경우 2021년 6월 1일 이후부터 양도소득세 일반세율 20%를 가산하여 적용한다. 그리고 1세대 3주택자가 조정대상지역에서 주택을 양도하는 경우 2021년 6월 1일 이후부터 양도소득세 일반세율에 30%를 가산한다.

현재 일반적인 양도소득세율이 6~45%이므로 여기에 20%가 가산되면 26~65%가 적용되고, 3주택자가 되어 30%가 가산되면 36~75%까지 중과세를 부담하게 된다. 또한 장기간에 걸쳐서 형성된 매매차익에 대해 일정률을 공제해주는 장기보유특별공제를 적용하지 아니한다.

2021. 6. 1. 이후 양도	2주택 중과세 (일반세율+20%)		2021. 6. 1. 이후 양도	3주택 중과세 (일반세율+30%)	
과세표준	세율	누진공제	과세표준	세율	누진공제
1,200만 원 이하	26%	-	1,200만 원 이하	36%	-
1,200만 원 초과~ 4,600만 원 이하	35%	1,080,000	1,200만 원 초과~ 4,600만 원 이하	45%	1,080,000
4,600만 원 초과~ 8,800만 원 이하	44%	5,220,000	4,600만 원 초과~ 8,800만 원 이하	54%	5,220,000
8,800만 원 초과~ 1억 5천만 원 이하	55%	14,900,000	8,800만 원 초과~ 1억 5천만 원 이하	65%	14,900,000
1억 5천만 원 초과~ 3억 원 이하	58%	19,400,000	1억 5천만 원 초과~ 3억 원 이하	68%	19,400,000
3억 원 초과~ 5억 원 이하	60%	25,400,000	3억 원 초과~ 5억 원 이하	70%	25,400,000
5억 원 초과~ 10억 원 이하	62%	35,400,000	5억 원 초과~ 10억 원 이하	72%	35,400,000
10억 원 초과	65%	65,400,000	10억 원 초과	75%	65,400,000

(2) 1세대 1주택 비과세를 판정할 때 2년의 거주기간 추가 적용

2017년 8월 3일 이후 조정대상지역에 있는 주택을 취득하고 1세대 1주택 비과세 여부를 판정하는 경우, 조정지역 내의 주택에 대해 2년의 보유기간 외에도 2년의 거주기간을 추가하여 비과세를 판정한다.

(3) 2021. 6. 1. 이후 조정대상지역에 관계없이 분양권을 1년 이내 양도 시 70%, 1년 경과 후 양도 시 60% 적용

2021년 6월 1일 이후부터 조정대상지역에 관계없이 분양권을 1년 이내 양도하는 경우 70%, 1년 경과 후 양도하는 때에는 60% 세율을 적용한다.

(4) 투기지역 내의 주택 취득 시 주택자금조달계획 신고

2017년 9월 26일부터 투기지역 내에 3억 원 이상인 주택을 체결한 매수자는 계약체결일부터 30일 이내에 거래신고 시 자금조달 및 입주계획서를 제출해야 한다.

(5) 기타의 제재 강화

청약 1순위 자격요건이 강화되어 청약통장 가입 후 2년이 경과하고, 월 1회 납입하여 24회 이상이거나 납입금이 청약예치금의 기준금액 이상이 되어야 한다.

또한 청약가점제 적용비율이 확대되어 주택청약 1순위로 당첨될 확률이 상당히 줄어들었으며, 주택담보대출건수가 제한되고 LTV, DTI 등이 강화된다.

조정대상지역에서의 오피스텔 전매행위가 소유권이전등기 시까지 제한되고, 지역 거주자에 대해 우선 분양을 적용해야 한다.

그리고 재개발 등 조합원분양권의 소유권 이전 등기 시까지 전매제한이 적용되며, 정비사업 분양재당첨이 5년간 제한된다.

■ 부동산 거래신고 등에 관한 법률 시행규칙 [별지 제1호의2 서식]

부동산거래관리시스템(rtms.molit.go.kr)
에서도 신청할 수 있습니다.

주택취득 자금조달 및 입주 계획서 (해당자만 기재)

<table>
<tr><td rowspan="2">제출인
(매수인)</td><td colspan="2">성명(법인명)</td><td colspan="2">주민등록번호(법인· 외국인등록번호)</td></tr>
<tr><td colspan="2">주소(법인소재지)</td><td colspan="2">(휴대)전화번호</td></tr>
<tr><td rowspan="6">① 자금
조달계획</td><td rowspan="3">자기
자금</td><td>② 금융기관 예금액 원</td><td colspan="2">③ 부동산매도액 등 원</td></tr>
<tr><td>④ 주식·채권 매각대금 원</td><td colspan="2">⑤ 보증금 등 승계 원</td></tr>
<tr><td>⑥ 현금 등 기타 원</td><td colspan="2">⑦ 소계 원</td></tr>
<tr><td rowspan="2">차입금등</td><td>⑧ 금융기관 대출액 원</td><td colspan="2">⑨ 사채 원</td></tr>
<tr><td>⑩ 기타 원</td><td colspan="2">⑪ 소계 원</td></tr>
<tr><td>⑫ 합계</td><td colspan="3">원</td></tr>
<tr><td colspan="2">⑬ 입주 계획</td><td colspan="2">[ ]본인 입주 [ ]본인 외 가족 입주
(입주 예정 시기 : 년 월)</td><td>[ ]임대(전·월세)</td></tr>
</table>

「부동산 거래신고 등에 관한 법률」시행령 제3조제1항, 같은 법 시행규칙 제2조 제5항부터 제7항까지의 규정에 따라 위와 같이 주택취득자금 조달 및 입주 계획을 신고합니다.

년 월 일

제출인 (서명 또는 인)

시장·군수·구청장 귀하

유의사항

1. 제출하신 자금조달 및 입주 계획서는 국세청 등에 관계기관에 통보되어, 신고내역 조사 및 관련 세법에 따른 조사 시 참고자료로 활용됩니다.
2. 자금조달 및 입주 계획서를 계약체결일로부터 60일 이내에 제출하지 않거나, 거짓으로 작성하는 경우 법 제28조제2항 또는 제3항에 따라 과태료가 부과되오니 이점 유의하시기 바랍니다.
3. 본 서식은 부동산거래계약 신고서 접수 전에는 제출이 불가하오니 별도 제출하는 경우에는 미리 부동산거래계약 신고서의 제출여부를 해당 신고서 제출자 또는 신고관청에 확인하시기 바랍니다.

작성방법

1. ① 자금조달계획란에는 해당 주택의 취득에 소요되는 자금의 조달계획에 대하여 기재하고, 매수인이 다수인 경우에는 각 매수인별로 작성하며, 각 매수인별 금액을 합산한 총 금액과 거래신고 된 실제 거래금액이 일치하여야 합니다.
2. ②~⑥에는 자기자금을 종류별로 구분하여 중복되지 아니하게 기재합니다.
3. ② 금융기관 예금액란에는 금융기관에 예치되어 있는 본인명의의 예금(적금 등)을 통해 조달하고자 하는 자금을 기재합니다.
4. ③ 부동산매도액 등란에는 본인 소유 부동산의 매도를 통해 조달하고자 하는 자금 또는 재건축, 재개발시 발생한 종전부동산 권리가액 등을 기재합니다.
5. ④ 주식·채권 매각대금란에는 본인명의 주식·채권 및 각종 유가증권 매각 등을 통해 조달하고자 하는 자금을 기재합니다.
6. ⑤ 보증금 등 승계란에는 임차인의 보증금 등 승계하는 자금을 기재합니다. (대출금 승계는 제외)
7. ⑥ 현금 등 기타란에는 현금으로 보유하고 있는 자금 및 ②~⑤에 포함되지 않는 기타 본인의 자산을 통해 조달하고자 하는 자금(금융기관 예금액 이외의 각종 금융상품 및 간접투자상품을 통해 조달하고자 하는 자금 포함)을 기재합니다.
8. ⑧~⑩에는 자기자금을 제외한 외부 차입금 등을 종류별로 구분하여 중복되지 아니하게 기재합니다.
9. ⑧ 금융기관 대출액란에는 금융기관으로부터의 각종 대출을 통해 조달하고자 하는 자금 또는 매도인의 대출금 승계 자금을 기재합니다.
10. ⑨ 사채란에는 금융기관 이외의 법인 또는 개인사업자 등으로부터 차입을 통해 조달하고자 하는 자금을 기재합니다.
11. ⑩ 기타란에는 ⑧~⑨에 포함되지 않는 그 밖의 차입금 등을 기재합니다.
12. ⑦에는 ②~⑥의 합계액을, ⑪에는 ⑧~⑩의 합계액을, ⑫에는 ⑦과 ⑪의 합계액을 기재하며, 부동산거래계약 신고서의 실제 거래금액과 일치하여야 합니다.
13. ⑬ 입주계획란에는 해당 주택의 거래계약을 체결한 이후 첫 번째 입주자 기준으로 기재하며, 본인입주란 매수인 및 주민등록상 동일세대원이 함께 입주하는 경우, 본인 외 가족입주란 매수인과 주민등록상 세대가 분리된 가족이 입주하는 경우를 말하며, 이 경우에는 입주 예정 시기를 기재합니다. 또한 첫 번째 입주자가 다세대, 다가구 등 2세대 이상인 경우에는 해당 항목별로 중복하여 기재합니다.

210mm×297mm[백상지(80g/㎡) 또는 중질지(80g/㎡)]

Chapter 9 | 어쩌다가 종부세 폭탄?

Kim Yeon Ju & Lim Jun Chan

종합부동산세는 매년 4월경 정부가 발표하는 공동주택 공시가격을 기준으로 6월 1일 주택 및 토지분 재산세제로서 공시가격이 6억 원을 초과하면 종부세 과세대상이 된다. 인별 과세되는 세금으로 1인당 6억 원을 공제한다. 다만, 1가구 1주택자인 거주자로서 세대원 중 1명만이 재산세 과세대상인 1주택을 단독으로 소유한 경우에는 9억 원까지 공제된다.

부동산을 보유하는 경우 1차로 시·군·구에서 부동산을 과세유형별로 구분하여 재산세를 부과하고, 2차로 각 유형별로 공제금액을 초과하는 부분에 대해 주소지 관할 세무서에서 종합부동산세를 부과징수한다. 12월 15일까지 납부해야 하며, 납부세액이 250만 원을 초과하면 6개월까지 분납할 수 있다.

2019년부터 과세형평을 고려하여 주택 공시가격을 실질적인 시세를 반영하고자 하여 2020년 90%, 2021년 95%, 2022년 100%까지 인상을 추진하고 있다. 더 이상 종부세는 고액재산가만이 부담하는 세금이 아니라, 급격히 상승한 집값이 반영되어 집 한 채만 보유하고 있어도 고민하게 되는 무거운 세금으로 자리 잡았다.

종합부동산세 계산구조

<table>
<tr><th>구분</th><th>별도합산토지분</th><th>종합합산토지분</th><th colspan="2">주택분</th></tr>
<tr><td>Σ 공 시 가 격</td><td>Σ 별도합산토지
공시가격</td><td>Σ 종합합산토지
공시가격</td><td colspan="2">Σ 주택공시가격</td></tr>
<tr><td>- 공 제 액</td><td>80억 원</td><td>5억 원</td><td colspan="2">6억 원
(1세대 1주택 9억 원)</td></tr>
<tr><td>× 공정시장가액비율</td><td colspan="4">21년 95%, 22년 100%</td></tr>
<tr><td>= 종부세 과세표준</td><td>별도합산토지분
과세표준</td><td>종합합산토지분
과세표준</td><td colspan="2">주택분 과세표준</td></tr>
<tr><td rowspan="2">× 세 율</td><td rowspan="2">200억 이하 : 0.5%
400억 이하 : 0.6%
400억 초과 : 0.7%</td><td rowspan="2">15억 이하 : 1.0%
45억 이하 : 2.0%
45억 초과 : 3.0%</td><td>일반</td><td>조정대상지역
2주택이상 또는
3주택자</td></tr>
<tr><td>0.6~3.0%</td><td>1.2~6.0%</td></tr>
<tr><td>= 종합부동산세액</td><td>별도합산토지분
종부세액</td><td>종합합산토지
종부세액</td><td colspan="2">주택분 종부세액</td></tr>
<tr><td>- 차감할 재산세액</td><td colspan="4">재산세로 부과된 세액 중 종합부동산세 과세표준금액에 부과된 재산세 상당액
* 과세대상 유형별(별도합산토지, 종합합산토지, 주택)구분하여 계산</td></tr>
<tr><td>= 산 출 세 액</td><td>별도합산토지
산출세액</td><td>종합합산토지
산출세액</td><td colspan="2">주택분 산출세액</td></tr>
<tr><td>- 세 액 공 제
(1주택자 한정)</td><td>해당 없음</td><td>해당 없음</td><td colspan="2">〈1세대 1주택〉
보유:5년(20%), 10년(40%), 15년(50%)
연령:60세(20%), 65세(30%), 70세(40%)
*중복적용 가능(한도 80%)</td></tr>
<tr><td>= 세부담 상한전 종부세</td><td colspan="4">세부담 상한전 종부세액 = 산출세액 - 세액공제</td></tr>
<tr><td>- 세부담 상한 초과세액</td><td colspan="4">(전년 재산세+종부세)×150%
(조정지역 2주택은 300%, 3주택 이상은 300%)</td></tr>
<tr><td>= 부과 징수세액</td><td colspan="4">부과·징수(자진납부)할 세액(분납 및 물납 가능)
부각 과세유형별 세액의 합계액[250만 원 초과시 분납 가능(6개월)]</td></tr>
</table>

2주택 이하이거나 조정대상지역에 1주택 소유자는 0.6~3.0%의 종합부동산세율을 부담하고, 3주택 이상 또는 조정대상지역의 2주택자는 1.2~6.0% 종합부동산세율을 적용받는다.

법인은 종전에는 법인이 보유한 주택 수에 따라 0.6~4.0%의 단계별 종합부동산세를 과세하였으나 2021년부터 2주택자(조정대상지역 1주택자 포함)는 3%, 3주택자(조정대상지역 2주택자 포함)는 4%의 단일 비례세율을 부담한다.

2021년 법인의 종합부동산세 과세표준을 계산할 때 보유주택에 대한 6억 원 공제를 폐지하고 종합부동산세 상한선을 폐지한다.

종합부동산세 세율

시가 (다주택자 기준)	과표	2주택 이하 or 조정대상지역 1주택(%)		3주택 이상 or 조정대상지역 2주택(%)		
		종전	12·16	종전	12·16	7·10
8~12.2억 원	3억 원 이하	0.5	0.6	0.6	0.8	1.2
12.2~15.4억 원	3~6억 원	0.7	0.8	0.9	1.2	1.6
15.4~23.3억 원	6~12억 원	1.0	1.2	1.3	1.6	2.2
23.3~69억 원	12~50억 원	1.4	1.6	1.8	2.0	3.6
69~123.5억 원	50~94억 원	2.0	2.2	2.5	3.0	5.0
123.5억 원 초과	94억 원 초과	2.7	3.0	3.2	4.0	6.0

고령자세액공제 및 장기보유세액공제

종합부동산세를 계산할 때 1세대 1주택을 보유한 고령자에 대한 고령자 세액공제 한도가 증가하고 고령자 세액공제와 장기보유에 따른 세액공제 비율이 상향되었다.

고령자 공제를 받을 수 있는 기준은 만 60세(2021년 기준 1961년생)이다. 2021년부터 만 60세부터 64세까지는 종부세액의 20%, 만 65세부터 69세까지는 30%, 만 70세 이상부터는 40%를 공제받는다.

장기보유에 따른 공제율은 종전과 동일한 공제율이 적용된다. 5~9년 보유 시 20%, 10~14년 보유 시 40%, 15년 이상 보유하는 경우에는 50%의 공제율을 적용받는다.

고령자 공제와 장기보유 공제의 중복 적용이 가능하며, 고령자 공제율과 장기보유 공제율을 합쳐서 80%까지 적용받을 수 있다.

1주택자 고령자 공제율 및 장기보유 공제율

고령자 공제율			장기보유 공제율		
연령	종전	2021년	보유기간	종전	동일
60~64세	10%	20%	5~9년	20%	20%
65~69세	20%	30%	10~14년	40%	40%
70세 이상	30%	40%	15년 이상	50%	50%

고령자 공제율과 장기보유 공제율

공제한도 상향	종전	2021
고령자 공제율 + 장기보유 공제율	70%	80%

PART 3

1세대 2주택자·3주택자·다주택자 부동산 세금에서 살아남기!

내 집은 몇 채인가?

Chapter 1 1세대 3주택자 주택 수 판정 방법

Kim Yeon Ju & Lim Jun Chan

01 조정대상지역의 주택매매 시 중과여부 판단 flow

1단계: 1세대의 범위는 어떻게 되는가?	• 사실혼 배우자 포함 • 배우자가 없어도 1세대로 보는 경우
2단계: 양도하는 주택이 조정대상지역인가?	조정대상지역
3단계: 전국에 보유하는 주택은 몇 채인가?	〈당초 주택 수 계산 시 제외되는 주택〉 • 수도권, 광역시, 세종시 외의 지역에 있는 기준시가 3억 원 이하의 주택 • 주택신축판매업자(건설업)의 재고주택 등

	〈주택 수에 포함되는 주택〉 • 주택 수에 포함되는 조합원입주권 • 부동산매매업자의 재고자산 • 공동상속주택 • 다가구주택 • 주택임대사업자의 임대주택 • 주거용 오피스텔, 무허가 주택 등
4단계: 주택 수에는 포함되나 중과대상주택에서 제외되는 주택에 해당되는가? (3주택 이상자)	〈3주택 수에는 포함되나 제외되는 중과대상 주택〉 • 소득세법 시행령 제167조의3[장기임대주택] • 조세특례제한법상 수도권 밖 미분양매입임대주택 • 조세특례제한법상 양도소득세 감면대상 장기임대주택 • 조세특례제한법상 감면대상 신축주택 • 장기사원용주택 • 문화재보호법상 문화재주택 • 선순위 상속1주택 • 저당권 실행 또는 대물변제 취득주택 • 장기가정어린이집 • 위의 주택을 제외하고 1개의 주택만 소유하는 해당 주택
4단계: 주택 수에는 포함되나 중과대상주택에서 제외되는 주택에 해당되는가? (2주택 이상자)	〈2주택 수에는 포함되나 제외되는 중과대상 주택〉 • 3주택 중과대상에서 제외되는 주택도 제외 • 취학, 근무상의 형편 등 부득이한 사유로 취득한 주택 • 동거봉양을 사유로 합가한 2주택 • 혼인을 사유로 합가한 2주택 • 법정소송 결과로 취득한 주택 • 일시적 1세대 2주택 • 주택의 양도 당시 기준시가 1억 원 이하인 주택 • 위의 주택을 제외하고 1개의 주택만 소유하는 해당 주택

02 1세대별로 보유주택을 판단하는바 1세대란 무엇인가?

(1) 1세대란

1세대란, 거주자 및 그 배우자가 그들과 동일한 주소 또는 거소에서 생계를 같이 하는 가족과 함께 구성하는 1세대를 말한다. 가족은 거주자와 그 배우자의 직계존비속(그 배우자를 포함한다) 및 형제자매를 말하며, 취학, 질병의 요양, 근무상 또는 사업상의 형편으로 본래의 주소 또는 거소를 일시 퇴거한 자를 포함한다.

배우자의 직계존속(장인, 장모, 시부모)과 배우자의 형제자매(처제, 처남, 시동생)도 동일한 주소에서 생계를 같이 하는 경우에는 가족의 범위에 포함되나, 형제자매의 배우자(형수, 제수, 동서, 형부, 제부)는 가족의 범위에서 제외된다.

그리고 부부가 단독으로 세대를 각각 이루거나 별거 중이라 하더라도 법률상 배우자는 동일한 세대로 본다. 그리고 세법개정으로 2019년부터 법률상 이혼을 하더라도 사실혼 관계를 유지하고 있는 배우자도 1세대로 본다는 것이다.

개정 이유는 다주택가구가 이혼을 위장하고 양도소득세 비과세 혜택을 받는 경우가 많았다. 이러한 사실과 다른 허위로 인한 양도신고를 부인하고 실질적인 관계를 과세근거기준으로 삼기 위함이다.

다음의 경우에는 배우자가 없는 때에도 1세대로 본다.

- 당해 거주자의 연령이 30세 이상인 경우
- 배우자가 사망하거나 이혼한 경우
- 법 제4조에 따른 소득이 「국민기초생활 보장법」 제2조 제11호에 따른 기준 중위소득의 100분의 40 수준 이상으로서 소유하고 있는 주택 또는 토지를 관리·유지하면서 독립된 생계를 유지할 수 있는 경우. 다만, 미성년자의 경우를 제외하되, 미성년자의 결혼, 가족의 사망 그 밖에 기획재정부령이 정하는 사유로 1세대의 구성이 불가피한 경우에는 그러하지 아니하다.

(2) 1세대의 판정기준

1세대에 해당되는지 여부는 주택을 양도하는 시점, 양도일 현재를 기준으로 판정하는 것이며, 같은 장소에서 생계를 같이 하는 가족의 주민등록상 현황과 사실상 현황이 다른 경우에는 사실상 현황에 의한다.

03 매매하려는 주택의 소재지가 어디 위치하는가?

부동산투기억제를 강력하게 제제하기 위한 8·2 대책으로 인해 주택을 매매할 때 가장 먼저 확인해야 할 것은 "양도하려는 주택의 소재지가 어느 지역에 위치하는가"이다.

즉, 매매하려는 주택이 조정대상지역에 해당되는지, 투기과열지구에 위치하는지, 투기지역에 소재하는지를 가장 먼저 확인하여야 한다.

해당되는 지역에 따라 각종의 양도소득세 중과를 적용할 것인지에 대한 밑그림이 나오기 때문이다.

그 다음으로 조합원입주권을 포함하여 보유 중인 주택이 몇 개인가 하는 것이다. 1세대가 보유하는 주택 수에 따라 중과되는 양도소득세율이 달라지기 때문이다.

보유하는 주택 수가 정해지고 양도하려는 주택의 소재지가 파악되고 난 후에야 8·2 대책과 9·13 대책에서 규제하고 있는 다양한 양도소득세 중과세금을 결정할 수 있다.

1세대 2주택자는 기본세율에 20%를 추가하고 장기보유특별공제가 배제되며, 1세대 3주택자는 기본세율에 30%를 가산하고 장기보유특별공제가 적용되지 않는다.
이러한 세율중과는 양도소득세 부담에 상당한 파급 효과를 미치므로, 매매하는 주택의 소재지와 주택 수를 계산할 때 상당한 주의를 기하여야 한다.

- 조정대상지역
- 투기과열지역
- 투기지역

구분	조정대상지역
서울	서울시 전 지역 25개구 강남, 서초, 송파, 강동, 용산, 성동, 노원, 마포, 양천, 영등포, 강서, 구로, 금천, 동작, 관악, 은평, 서대문, 종로, 중구, 성북, 강북, 도봉, 중랑, 동대문, 광진
경기도	과천시, 성남시, 하남시, 화성시 동탄, 광명시, 구리시, 안양시 동안·만안, 광교지구, 수원시 팔달·장안·영통·권선, 용인시 기흥·수지, 의왕시, 고양시, 남양주시, 화성시, 군포시, 안성시, 부천시, 안산시, 시흥시, 용인시 처인, 오산시, 평택시, 광주시, 양주시, 의정부시, 김포시, 파주시
인천	중, 동, 미추홀, 연수, 남동, 부평, 계양, 서
대전	동, 중, 서, 유성, 대덕
대구	수성, 중, 동, 서, 남, 북, 달서, 달성군
세종특별시	세종특별자치시
충북	청주
부산	해운대, 수영, 동래, 남, 연제, 서, 동, 영도, 부산진, 금정, 북, 강서, 사상, 사하
광주	동, 서, 남, 북, 광산
울산	중, 남
충남	천안시 동남, 서북, 논산시, 공주시
전북	전주시 완산, 덕진
전남	여수시, 순천시, 광양시
경북	포항시 남, 경산시
경남	창원시 성산

04 우리 집 보유 주택 수는 몇 채인가? 3채인가?

그렇다면 현재 보유하고 있는 주택 수는 어떻게 계산되는 것일까?

매매하려는 주택이 조정대상지역에 소재한다고 하여 무조건 양도하려는 주택을 주택 수에 포함하여 계산하는 것은 아니다.

즉, 매매하려는 주택이 조정대상지역에 위치한다 하더라도, 다주택자 중과규정을 적용할 때 배제되는 주택에 해당된다면 중과가 배제될 수 있는 것이다.

조정대상지역 내 3주택 이상의 다주택자라도 중과적용이 배제되는 주택은 다음과 같다.

(1) 3주택 중과대상 주택 수에서 제외되는 주택

중과대상 주택 수 판단은 전국의 모든 주택이 대상이 된다. 이때 조합원입주권도 주택 수에 포함된다.

그러나 다음의 경우는 중과대상 주택 수 산정 시 중과대상 주택 수에서 제외한다.

1) 수도권, 광역시, 세종시 외의 지역에 있는 기준시가 3억 원 이하의 주택

구분	지역
모든 주택이 주택 수에 포함되는 지역	서울시 광역시(군지역 제외) 경기도, 세종시(읍·면지역 제외)
기준시가 3억 원 초과하는 주택만 주택 수에 포함되는 지역	모든 광역시의 군지역 경기도, 세종시 읍·면지역 기타 모든 도지역

중과대상 주택은 소재하는 지역에 따라 주택 수의 계산이 달라진다. 수도권, 광역시(군지역 제외), 세종시(읍·면지역 제외)에 주택이 위치하는 경우에 이 주택은 가액에 관계없이 무조건 중과대상 주택 수에 포함된다.

그러나 경기도, 세종시의 읍·면지역, 광역시의 군지역, 기타 도지역에 소재하는 주택으로 주택가액이 기준시가로 3억 원을 초과하는 경우에만 주택 수에 포함되므로, 3억 원 이하인 경우에는 주택 수에서 제외된다.

소득세법 시행령 제167조의3【1세대 3주택 이상에 해당되는 주택의 범위】(2003. 12. 30. 신설)

① 법 제104조 제7항 제3호에서 "대통령령으로 정하는 1세대 3주택 이상에 해당하는 주택"이란 국내에 주택을 3개 이상(제1호에 해당하는 주택은 주택의 수를 계산할 때 산입하지 아니한다) 소유하고 있는 1세대가 소유하는 주택으로서 다음 각 호의 어느 하나에 해당하지 아니하는 주택을 말한다.

1. 「수도권정비계획법」 제2조 제1호에 따른 수도권 및 광역시·특별자치시 외의 지역에 소재하는 주택으로서 해당 주택 및 이에 부수되는 토지의 기준시가의 합계액이 해당 주택 또는 그 밖의 주택의 양도 당시 3억 원을 초과하지 아니하는 주택. 다만, 광역시에 소속된 군, 「지방자치법」 제3조 제3항·제4항에 따른 읍·면 및 「세종특별자치시 설치 등에 관한 특별법」 제6조 제3항에 따른 읍·면에 해당하는 지역을 제외한다.

2) 주택신축판매업자(건설업)가 보유하고 있는 주택

건설업에 해당되는 주택신축판매업자가 보유하고 있는 사업용 재고자산인 주택은 주택 수 산정 시 포함하지 아니한다. 다만, 부동산매매업자가 보유하고 있는 재고자산인 주택은 주택 수 계산 시 포함시킨다.

양도소득세 집행기준 104-167의3-6
[사업용 재고자산인 주택의 경우]

부동산매매업자가 보유하는 재고자산인 주택은 주택 수 계산에 포함되며, 주택신축판매업자(건설업에 해당하는 경우)의 재고자산인 주택은 주택 수 계산에 포함되지 아니한다.

(2) 3주택 이상자의 보유주택 판정 시 중과대상 주택 수에 포함되는 주택

1) 주택 수에 포함되는 조합원입주권

양도소득세 집행기준 104-167의4-1
[주택 수 계산에 포함되는 조합원입주권]

2006. 1. 1. 이후 재개발·재건축사업의 관리처분계획이 인가된 조합원입주권과 2005. 12. 31. 이전에 관리처분계획이 인가된 입주권

을 2006. 1. 1. 이후 취득한 경우 주택 수 계산에 포함되며, 조합원입주권의 3억 원 초과 여부는 「도시 및 주거환경정비법」에 따른 종전주택 및 그에 딸린 토지의 평가액(사업시행인가의 고시가 있은 날을 기준으로 한 가격)으로 판단한다.

세법개정으로 2021. 1. 1. 이후부터 조정대상지역 내 다주택자 중과 여부를 판단하는 주택 수를 계산하는 때에 분양권을 주택 수에 포함하여 판단한다.

2) 부동산매매업자의 재고자산

양도소득세 집행기준 104-167의3-6 [사업용 재고자산인 주택의 경우]

부동산매매업자가 보유하는 재고자산인 주택은 주택 수 계산에 포함한다.

3) 공동소유주택자 중 소수지분자 지분주택

주택 수 계산 시 공동주택 소수지분자도 주택 수에 포함한다.

종전에는 공동소유주택은 지분이 가장 큰 자의 주택으로 보아 소수지분자의 지분은 주택 수에 포함하지 않았다. 이때 지분이 가장 큰 자가 2인 이상인 경우에는 공동소유자 간의 합의에 따라 신고한 자의 주택으로 보며, 합의가 없는 경우에는 각각의 소유로 계산한다.

세법개정을 통하여 2020년 귀속분부터 다음의 요건이 충족된 경우에는 소수지분자의 지분도 주택으로 보아 주택 수에 포함된다.

일정 지분을 소유한 주택에서 발생하는 임대소득이 연간 600만 원 이상이거나 주택기준시가가 9억 원을 초과하는 고가주택으로서 그 주택의 지분을 30% 초과하는 공유지분을 소유하는 경우 소수지분자의 지분도 주택으로 간주된다.

동일주택을 부부가 일정 지분 이상 소유한 경우, 다음 순서로 부부 중 1인의 소유주택으로 계산한다. 부부 중 지분이 더 큰 자의 소유주택으로 보며, 부부의 지분이 동일한 경우에는 부부 사이의 합의에 따라 소유주택에 가산하기로 한 자의 1인의 소유주택으로 계산한다.

4) 공동상속주택의 주택

양도소득세 집행기준 104-167의3-5 [공동상속주택의 주택 수 계산]

상속지분이 가장 큰 상속인의 소유로 하여 주택 수를 계산하며, 상속지분이 가장 큰 자가 2인 이상인 경우에는 해당 주택에 거주하는 자, 최연장자의 순서로 해당 공동주택을 소유한 것으로 본다.

5) 다가구주택

다가구주택을 가구별로 분양하지 아니하고 다가구 전체를 하나의 매매단위로 양도하는(스스로 건설하여 취득한 경우도 포함) 경우는 거주자가 선택한 경우에 이를 단독주택으로 본다.

6) 주택임대사업자의 임대주택

주택임대사업을 하는 사업자가 보유하고 있는 사업용임대주택도 주택 수 산정 시 포함하여 계산한다.

7) 주거용 오피스텔, 무허가 주택 등

주거용으로 사용하고 있는 오피스텔과 허가를 받지 아니하였지만 주택으로 사용하는 무허가 주택 등도 주택 수를 계산할 때 포함한다.

(3) 3주택 이상자의 보유주택 중 중과대상 주택에서 제외되는 주택

다음의 주택은 보유하고 있는 주택 수를 계산할 때는 주택 수에 포함되더라도, 중과대상 주택으로 보지 아니한다.

조정대상지역이나 투기지역에 소재하더라도 중과대상 주택으로 보지 아니한다. 다만, 2019년 세법개정으로 1주택 이상을 보유한 1세대가 조정대상지역에 새로 취득한 주택을 소득세법 장기임대주택으로 등록하더라도 이 주택을 임대기간 종료 후 양도하는 경우에는 중과 및 장기보유특별공제 배제를 적용한다. 이 규정은 2018. 9. 14. 이후 조정대상지역 내에 주택을 취득하고 임대등록하는 분부터 적용한다.

따라서 2018. 9. 13. 이전에 주택 또는 주택을 취득할 수 있는 권리(분양권, 조합원입주권)를 취득한 경우 그리고 2018. 9. 13. 이전에 주택 또는 주택을 취득할 수 있는 권리(분양권, 조합원입주권)를 취득하기 위한 매매계약과 계약금을 지급한 경우에는 종전의 규정을 그대로 적용하여 해당 주택을 장기임대주택으로 등록한 경우 중과에서 제외한다.

1) 소득세법 시행령 제167조의3[장기임대주택]

장기임대주택이란 「소득세법」 제168조에 따른 사업자등록과 「민간임대주택에 관한 특별법」 제5조에 따른 임대사업자등록(이하 '사업자등록 등')을 한 거주자가 장기일반민간임대주택 등으로 10년 이상 임대하는 주택으로서, 해당 주택 및 이에 부수되는 토지의 기준시가 합계액이 해당 주택의 임대 개시일 당시 6억 원(수도권 밖의 지역인 경우 3억 원)을 초과하지 않고 임대료 등의 증가율이 100분의 5를 초과하지 않는 주택을 말한다.

2020년 7·10 대책으로 단기임대주택 등록이 불가능하며 단기임대주택의 장기일반민간임대주택으로의 전환이 되지 않는다. 그리고 아파트는 장기일반민간임대주택 등록을 할 수 없으며, 아파트를 제외한 주택(다세대, 다가구, 단독주택, 오피스텔 등)의 장기일반민간임대주택의 등록은 가능하다. 장기임대주택의 경우 최소 의무기간이 8년에서 10년으로 임대의무기간이 연장된다. 단기 및 장기일반민간임대주택으로 등록된 임대주택의 임대의무기간 경과 후에는 임대등록이 자동 말소된다.

2) 조세특례제한법상 수도권 밖 미분양매입임대주택

거주자가 민간매입임대주택을 소득세법상 사업자등록과 「민간임대주택법」상 임대사업자등록을 하고 2008. 6. 10.까지 분양계약이 체결되지 아니한 미분양주택을 계약하고 세법이 규정하고 있는 요건을 충족하여 임대한 주택을 말한다.

3) 조세특례제한법상 양도소득세 감면대상 장기임대주택

조세특례제한법 제97조·제97조의2, 제98조에 따른 양도소득세가 감면되는 임대주택으로, 5년 이상 임대한 국민주택을 말한다.

4) 장기사원용주택

종업원(사용자의 「국세기본법 시행령」 제1조의2 제1항에 따른 특수관계인을 제외한다)에게 무상으로 제공하는 사용자 소유의 주택으로, 무상제공기간이 10년 이상(의무무상기간)인 주택을 말한다.

5) 조세특례제한법상 감면대상 신축주택

조세특례제한법 제99조·제99조의3에 따른 양도소득세가 감면되는 신축주택을 말한다.

6) 문화재보호법상 문화재주택

문화재보호법 제2조 제2항에 의한 지정문화재 또는 동법 제53조 제1항에 의한 등록문화재로 지정 또는 등록된 주택을 말한다.

지정문화재주택이란

국가지정문화재(문화재청장이 지정한 문화재), 시·도 지정문화재(특별시장·광역시장·도지사 또는 특별자치도지사가 지정한 문화재), 문화재자료(국가·시·도 지정문화재로 지정되지 아니한 문화재 중 시·도지사가 향토문화보존상 필요하다고 인정하여 지정한 문화재)로서 문화재지정서를 통지받은 날부터 지정해제일까지 효력이 발생한다.

등록문화재주택이란

문화재청장은 문화재위원회의 심의를 거쳐 지정문화재가 아닌 문화재 중에서 보존과 활용을 위한 조치가 특별히 필요한 것으로 등록한 문화재로서 등록문화재 등록증을 통지받은 날부터 등록해제일까지 효력이 발생한다.

7) 선순위 상속1주택

소득세법 시행령 제155조 제2항 규정의 상속주택 – 선순위 상속 1주택(상속받은 날부터 5년이 경과하지 아니한 경우에 한정)을 말한다.

8) 저당권 실행 또는 대물변제 취득주택

저당권의 실행으로 취득하거나 채권변제를 대신하여 취득한 주택으로서, 취득일로부터 3년이 경과하지 아니한 주택을 말한다.

9) 장기가정어린이집

1세대의 구성원이 시장, 군수 또는 자치구청장으로부터 어린이집 인가를 받고 소득세법에 따라 사업자등록을 한 후 5년 이상(의무사용기간)

가정어린이집으로 사용하고, 가정어린이집으로 사용하지 아니하게 된 날부터 6월이 경과하지 아니한 주택을 말한다.

10) 1세대가 1)부터 9)까지에 해당하는 주택을 제외하고 1개의 주택만을 소유하고 있는 경우의 해당 주택(일반주택)

Chapter 2 | 1세대 2주택자 주택 수 판정 방법

Kim Yeon Ju & Lim Jun Chan

매매하려는 주택이 조정대상지역에 소재한다고 하여 무조건 양도하려는 주택을 주택 수에 포함하여 계산하는 것은 아니다. 즉, 매매하려는 주택이 조정대상지역에 위치한다 하더라도, 2주택에 대해 중과세 여부를 판정할 때 배제되는 주택에 해당된다면 중과가 배제될 수 있는 것이다.

조정대상지역 내 2주택 이상자라 하더라도 중과적용이 배제되는 주택은 다음과 같다.

01 2주택 이상자의 보유주택 판정 시 중과대상 주택 수에서 제외되는 주택

중과대상 주택 수 판단은 전국의 모든 주택이 대상이 된다. 이때 조합원입주권도 주택 수에 포함된다.

그러나 다음의 경우는 중과대상 주택 수 산정 시 중과대상 주택 수에서 제외한다.

(1) 수도권, 광역시, 세종시 외의 지역에 있는 기준시가 3억 원 이하의 주택

구분	지역
모든 주택이 주택 수에 포함되는 지역	서울시 광역시(군지역 제외) 경기도, 세종시(읍·면지역 제외)
기준시가 3억 원 초과하는 주택만 주택 수에 포함되는 지역	모든 광역시의 군지역 경기도, 세종시 읍·면지역 기타 모든 도지역

중과대상 주택이 소재하는 지역에 따라 주택 수의 계산이 달라진다. 수도권, 광역시(군지역 제외), 세종시(읍·면지역 제외)에 주택이 위치하는 경우에 이 주택은 가액에 관계없이 무조건 중과대상 주택 수에 포함된다.

그러나 경기도·세종시의 읍·면지역, 광역시의 군지역, 기타 도지역에 소재하고 주택가액이 기준시가로 3억 원을 초과하는 경우에만 주택 수에 포함되므로, 3억 원 이하인 경우에는 주택 수에서 제외된다.

소득세법 시행령 제167조의3【1세대 3주택 이상에 해당되는 주택의 범위】
(2003. 12. 30. 신설)

① 법 제104조 제7항 제3호에서 "대통령령으로 정하는 1세대 3주택 이상에 해당하는 주택"이란 국내에 주택을 3개 이상(제1호에 해당하는 주택은 주택의 수를 계산할 때 산입하지 아니한다) 소유하고 있는 1세대가 소유하는 주택으로서 다음 각 호의 어느 하나에 해당하지 아니하는 주택을 말한다.

1. 「수도권정비계획법」 제2조 제1호에 따른 수도권 및 광역시·특별자치시 외의 지역에 소재하는 주택으로서 해당 주택 및 이에 부수되는 토지의 기준시가의 합계액이 해당 주택 또는 그 밖의 주택의 양도 당시 3억 원을 초과하지 아니하는 주택. 다만, 광역시에 소속된 군, 「지방자치법」 제3조 제3항·제4항에 따른 읍·면 및 「세종특별자치시 설치 등에 관한 특별법」 제6조 제3항에 따른 읍·면에 해당하는 지역을 제외한다.

(2) 주택신축판매업자(건설업)가 보유하고 있는 주택

건설업에 해당되는 주택신축판매업자가 보유하고 있는 사업용 재고자산인 주택은 주택 수 산정 시 포함하지 아니한다.

다만, 부동산매매업자가 보유하고 있는 재고자산인 주택은 주택 수 계산 시 포함시킨다.

양도소득세 집행기준 104-167의3-6 [사업용 재고자산인 주택의 경우]

부동산매매업자가 보유하는 재고자산인 주택은 주택 수 계산에 포함되며, 주택신축판매업자(건설업에 해당하는 경우)의 재고자산인 주택은 주택 수의 계산에 포함되지 아니한다.

02 3주택 중과대상 주택 수에 포함되는 주택

(1) 주택 수에 포함되는 조합원입주권

양도소득세 집행기준 104-167의4-1
[주택 수 계산에 포함되는 조합원입주권]

2006. 1. 1. 이후 재개발·재건축사업의 관리처분계획이 인가된 조합원입주권과 2015. 12. 31. 이전에 관리처분계획이 인가된 입주권을 2006. 1. 1. 이후 취득한 경우 주택 수 계산에 포함되며, 조합원입주권의 3억 원 초과 여부는 「도시 및 주거환경정비법」에 따른 종전주택 및 그에 딸린 토지의 평가액(사업시행인가의 고시가 있은 날을 기준으로 한 가격)으로 판단한다.

(2) 부동산매매업자의 재고자산

양도소득세 집행기준 104-167의3-6
[사업용 재고자산인 주택의 경우]

부동산매매업자가 보유하는 재고자산인 주택은 주택 수 계산에 포함한다.

(3) 공동소유주택자 중 소수지분자 지분주택

주택 수 계산 시 공동주택 소수지분자도 주택 수에 포함한다.

종전에는 공동소유 주택은 지분이 가장 큰 자의 주택으로 보아 소수지분자의 지분은 주택 수에 포함하지 않았다. 이때 지분이 가장 큰 자가 2인 이상인 경우에는 공동소유자 간의 합의에 따라 신고한 자의 주택으로 보며, 합의가 없는 경우에는 각각의 소유로 계산한다.

세법개정을 통하여 2020년 귀속분부터 다음의 요건이 충족된 경우에는 소수지분자의 지분도 주택으로 보아 주택 수에 포함된다.

일정 지분을 소유한 주택에서 발생하는 임대소득이 연간 600만 원 이상이거나 주택기준시가가 9억 원을 초과하는 고가주택으로서, 그 주택의 지분을 30% 초과하는 공유지분을 소유하는 경우 소수지분자의 지분도 주택으로 간주된다.

동일주택을 부부가 일정 지분 이상 소유한 경우, 다음 순서로 부부 중 1인의 소유주택으로 계산한다. 부부 중 지분이 더 큰 자의 소유주택으로 보며, 부부의 지분이 동일한 경우에는 부부 사이의 합의에 따라 소유주택에 가산하기로 한 자의 1인의 소유주택으로 계산한다.

(4) 공동상속주택의 주택

양도소득세 집행기준 104-167의3-5
[공동상속주택의 주택 수 계산]

상속지분이 가장 큰 상속인의 소유로 하여 주택 수를 계산하며, 상속지분이 가장 큰 자가 2인 이상인 경우에는 해당 주택에 거주하는 자, 최연장자의 순서로 해당 공동주택을 소유한 것으로 본다.

(5) 다가구주택

다가구주택을 가구별로 분양하지 아니하고 다가구 전체를 하나의 매매단위로 양도하는(스스로 건설하여 취득한 경우도 포함) 경우는 거주자가 선택한 경우에 이를 단독주택으로 본다.

(6) 주택임대사업자의 임대주택

주택임대사업을 하는 사업자가 보유하고 있는 사업용임대주택도 주택 수 산정 시 포함하여 계산한다.

(7) 주거용 오피스텔, 무허가 주택 등

주거용으로 사용하고 있는 오피스텔과 허가를 받지 아니하였지만 주택으로 사용하는 무허가 주택 등도 주택 수를 계산할 때 포함한다.

03 2주택자의 보유주택 중 중과대상 주택에서 제외되는 주택

(1) 3주택 중과대상에서 제외되는 주택도 제외

- 소득세법 시행령 제167조의3 [장기임대주택]
- 조세특례제한법상 수도권 밖 미분양매입임대주택
- 조세특례제한법상 양도소득세 감면대상 장기임대주택
- 장기사원용주택
- 조세특례제한법상 감면대상 신축주택
- 문화재보호법상 문화재주택
- 5년 미경과된 선순위 상속 1주택
- 저당권 실행 또는 대물변제 취득주택
- 장기가정어린이집

(2) 취학, 근무상의 형편 등 부득이한 사유로 취득한 주택

1세대의 구성원 중 일부가 고등학교 이상의 취학, 근무상의 형편, 질병의 요양, 그 밖에 부득이한 사유로 인하여 다른 시(특별시·광역시·특별자치시)·군으로 주거를 이전하기 위하여 1주택(학교의 소재지, 직장의 소재지 또는 질병을 치료·요양하는 장소와 같은 시·군에 소재하는 주택으로서 취득 당시 기준시가의 합계액이 3억 원을 초과하지 아니하는 것에 한정)을 취득함으로써 1세대가 2주택이 된 경우의 해당 주택(취득 후 1년 이상 거주하고 해당 사유가 해소된 날부터 3년이 경과하지 아니한 경우에 한정한다)을 말한다.

(3) 동거봉양을 사유로 합가한 2주택

1주택을 소유하고 1세대를 구성하는 사람이 1주택을 소유하고 있는 60세 이상의 직계존속(배우자의 직계존속을 포함하며, 직계존속 중 어느 한 사람이 60세 미만인 경우를 포함한다)을 동거봉양하기 위하여 세대를 합침으로써 1세대가 2주택을 소유하게 되는 경우의 해당 주택(세대를 합친 날부터 10년이 경과하지 아니한 경우에 한정한다)을 말한다.

(4) 혼인을 사유로 합가한 2주택

1주택을 소유하는 사람이 1주택을 소유하는 다른 사람과 혼인함으로써 1세대가 2주택을 소유하게 되는 경우의 해당 주택(혼인한 날부터 5년이 경과하지 아니한 경우에 한정한다)을 말한다.

(5) 법정소송 결과로 취득한 주택

주택의 소유권에 관한 소송이 진행 중이거나, 해당 소송결과로 취득한 주택(소송으로 인한 확정판결일부터 3년이 경과하지 아니한 경우에 한정한다)을 말한다.

(6) 일시적 1세대 2주택

1주택을 소유한 1세대가 그 주택을 양도하기 전에 다른 주택을 취득(자기가 건설하여 취득한 경우를 포함한다)함으로써 일시적으로 2주택을 소유하게 되는 경우 종전의 주택[다른 주택을 취득한 날부터 3년이 지나지 아니한 경우(3년이 지난 경우로서 제155조 제18항 각 호의 어느 하나에 해당하는 경우를 포함한다)에 한정한다]을 말한다.

(7) 주택의 양도 당시 기준시가가 1억 원 이하인 주택

다만, 「도시 및 주거환경정비법」에 따른 정비구역으로 지정·고시된 지역 또는 「빈집 및 소규모주택 정비에 관한 특례법」에 따른 사업시행구역에 소재하는 주택은 제외한다. 그러나 기준시가가 1억 원 이하인 오피스텔의 경우에는 중과배제 주택에 해당되지 아니한다.

(8) 1세대가 (1)부터 (7)까지의 규정에 해당하는 주택을 제외하고 1개의 주택만을 소유하고 있는 경우 그 해당 주택

Chapter 3 1주택+조합원입주권자 주택 수 판정 방법

Kim Yeon Ju & Lim Jun Chan

현재 양도를 계획하는 집은 1채이지만, 「도시 및 주거환경정비법」에 따른 관리처분계획인가로 취득한 조합원입주권도 함께 보유하는 경우 2주택자에 들어가는 것일까?

이러한 입주권도 주택으로 보아, 보유 중인 주택을 양도하는 경우 2주택자에 해당되어 부동산 중과대상에 해당되는 것일까?

도대체 입주권의 실질적인 성격은 무엇이고, 입주권을 어떻게 해석해야 하는 것일까?

결론부터 말하면 「도시 및 주거환경정비법」에 따른 조합원입주권은 재개발·재건축이 예정된 주택이 「도시 및 주거환경정비법」상 관리처분계획인가일 이후에는 더 이상 주택으로 보지 아니하고, 주택을 취득할 수 있는 권리로 본다. 그리고 보유주택 수 계산 시 주택 수 산정에는 포함되나, 주택을 취득할 수 있는 권리로 평가하므로 주택에 해당되지 아니한다.

따라서 1세대가 1주택과 「도시 및 주거환경정비법」에 따른 관리처분계획인가로 취득한 1입주권을 보유하는 경우에도 주택 수는 2주택이나, 1주택자로 보아 판단한다.

즉, 해당 주택을 양도하는 경우 2주택자(조합원입주권도 주택 수에 계산)에 해당되지만, 1입주권은 주택을 취득할 수 있는 권리로 보아 1주택의 과세여부를 판단한다.

그리고 조합원입주권은 주택이 아닌 권리이므로, 조정대상지역 내의 조합원입주권을 양도하는 경우에도 중과세율이 적용되지 아니한다. 또한 분양권과는 다른 개념이므로, 조정대상지역에서 매매하여도 단일세율인 50%를 적용하지 아니한다.

조합원입주권을 2021. 6. 1. 이후 조정대상지역에서 1년 이내 양도하면 70%, 1~2년 이내 양도하면 60%, 2년 이상 보유하고 양도하면 기본세율인 6~45%를 적용하며, 이때 보유기간은 구주택의 취득시점부터 계산된다.

그리고 수도권 외 지역(광역시 군·읍·면지역은 포함)의 주택 및 조합원입주권으로 3억 원 이하인 경우에는 주택 및 조합원입주권을 계산하는 경우 주택 수에 포함시키지 아니한다.

(1) 1세대가 1주택과 1입주권을 보유한 경우 [소득세법 시행령 제156조의2 제3항]

1주택자가 주택 취득일로부터 1년 경과 후 1입주권을 취득하고 3년 이내 종전주택을 양도하는 경우 해당 주택

(2) 1세대가 1주택과 1입주권을 보유한 경우 [소득세법 시행령 제156조의2 제4항]

1주택자가 1입주권을 취득하고 3년이 경과하여 해당 주택을 양도하고, 다음의 요건을 충족하는 경우

- 재개발사업 및 재건축사업 등으로 취득하는 주택으로 2년 이내 세대 전원이 이사하고 1년 이상 거주
- 주택이 완공된 후 2년 이내에 종전의 주택을 양도

(3) 1세대가 1주택과 대체취득한 1주택을 보유하는 경우 [소득세법 시행령 제156조의2 제5항]

국내에 1주택을 소유한 1세대가 그 주택의 주택재개발사업 또는 주택재건축사업의 시행기간 동안 거주하기 위한 다른 주택(대체주택)을 취득한 경우로서, 다음의 요건을 모두 충족하고 양도하는 대체주택

- 주택재개발사업 또는 주택재건축사업의 사업시행인가일 이후 대체주택을 취득하고 세대 전원이 1년 이상 거주

• 주택재개발사업 또는 주택재건축사업의 관리처분계획에 따라 취득하는 주택이 완성된 후 2년 이내에 그 주택으로 세대 전원이 이사(취학, 근무상의 형편, 질병의 요양, 그 밖에 부득이한 사유로 세대원 중 일부가 이사하지 못하는 경우를 포함)하여 1년 이상 계속하여 거주할 것

• 주택재개발사업 또는 주택재건축사업의 관리처분계획에 따라 취득하는 주택이 완성되기 전 또는 완성된 후 2년 이내에 대체주택을 양도

소득세법 시행령 제156조의2
【주택과 조합원입주권을 소유한 경우 1세대 1주택의 특례】

③ 국내에 1주택을 소유한 1세대가 그 주택("종전의 주택")을 양도하기 전에 조합원입주권을 취득함으로써 일시적으로 1주택과 1조합원입주권을 소유하게 된 경우 종전의 주택을 취득한 날부터 1년 이상이 지난 후에 조합원입주권을 취득하고 그 조합원입주권을 취득한 날부터 3년 이내에 종전의 주택을 양도하는 경우(3년 이내에 양도하지 못하는 경우로서 기획재정부령으로 정하는 사유에 해당하는 경우를 포함한다)

④ 국내에 1주택을 소유한 1세대가 그 주택을 양도하기 전에 조합원입주권을 취득함으로써 일시적으로 1주택과 1조합원입주권을 소유하게 된 경우 조합원입주권을 취득한 날부터 3년이 지나 종전의 주택을 양도하는 경우로서 다음 각 호의 요건을 모두 갖춘 경우

1. 재개발사업, 재건축사업 또는 소규모재건축사업의 관리처분계획등에 따라 취득하는 주택이 완성된 후 2년 이내에 그 주택으로 세대 전원이 이사(취학, 근무상의 형편, 질병의 요양, 그 밖에 부득이한 사유로 세대의 구성원 중 일부가 이사하지 못하는 경우를 포함)하여 1년 이상 계속하여 거주할 것
2. 재개발사업, 재건축사업 또는 소규모재건축사업의 관리처분계획등에 따라 취득하는 주택이 완성되기 전 또는 완성된 후 2년 이내에 종전의 주택을 양도할 것

⑤ 국내에 1주택을 소유한 1세대가 그 주택에 대한 재개발사업, 재건축사업 또는 소규모재건축사업의 시행기간 동안 거주하기 위하여 다른 주택("대체주택")을 취득한 경우로서 다음 각 호의 요건을 모두 갖추어 대체주택을 양도하는 경우

1. 재개발사업, 재건축사업 또는 소규모재건축사업의 사업시행인가일 이후 대체주택을 취득하여 1년 이상 거주할 것

2. 재개발사업, 재건축사업 또는 소규모재건축사업의 관리처분계획등에 따라 취득하는 주택이 완성된 후 2년 이내에 그 주택으로 세대 전원이 이사(취학, 근무상의 형편, 질병의 요양, 그 밖에 부득이한 사유로 세대원 중 일부가 이사하지 못하는 경우를 포함)하여 1년 이상 계속하여 거주할 것. 다만, 주택이 완성된 후 2년 이내에 취학 또는 근무상의 형편으로 1년 이상 계속하여 국외에 거주할 필요가 있어 세대 전원이 출국하는 경우에는 출국사유가 해소(출국한 후 3년 이내에 해소되는 경우만 해당)되어 입국한 후 1년 이상 계속하여 거주하여야 한다.
3. 재개발사업, 재건축사업 또는 소규모재건축사업의 관리처분계획등에 따라 취득하는 주택이 완성되기 전 또는 완성된 후 2년 이내에 대체주택을 양도할 것

PART 4

전 국민의 부동산 세금 상식! 1세대 1주택 비과세

Chapter 1 | 1세대 1주택의 의미

Kim Yeon Ju & Lim Jun Chan

주택은 전 국민의 주거안정을 위한 가장 중요한 수단임과 동시에, 전 국민의 자산증식을 위한 재테크로 활용되고 있다. 이 흐름은 투기 바람까지 일으키게 되어, 집값 상승을 동반하고 경제전반을 혼란시키게 된다.

이에 정부는 주택가격 안정과 주거안정을 위하여 주택과 관련된 다양한 법규에 추가사항을 더하고 삭제하며, 특별법까지 만들어 적용하고 있다.

그리고 국민주거생활 안정을 위한 조세정책으로 1세대 1주택에 대해 비과세 규정을 두고 있으며, 다양한 양도소득세 감면 규정을 마련하고 있다.

또한 다른 곳으로 이사가기 위해 대체취득하는 경우, 부모의 동거봉양, 결혼, 취학, 상속 등 실생활에서 불가피하게 발생되는 일시적 2주택과 주택임대사업 활성화를 위한 양도소득세 감면 등의 세제혜택을 두고 있다. 따라서 양도소득세는 상당히 복잡하고 해석이 난해한 경우가 많다.

그러나 1세대 1주택 비과세 관련 규정은 전 국민의 관심사로서 최소한의 조세방향과 요건을 알고 있다면, 1주택을 통한 주거생활 안정은 물론이고 비과세를 통한 세테크가 가능하다.

이번 장에서는 부동산 세금의 상식으로 통하는 1세대 1주택 비과세 규정의 전반에 대해 알아보고자 한다.

Chapter 2 1세대 1주택 양도소득세 비과세 요건

Kim Yeon Ju & Lim Jun Chan

'1세대 1주택'이란 1세대가 양도일 현재 국내에 1주택을 보유하고 있는 경우로서, 당해 주택(미등기 제외, 실지거래가액이 9억 원을 초과하는 고가주택의 경우에는 9억 원을 초과하는 양도차익에 대해서는 과세)의 보유기간이 2년 이상이고 2017. 8. 2. 조정대상지역의 주택은 2년 이상 거주한 주택을 말한다.

이에 부수되는 토지로서 건물이 정착된 면적의 3배(도시지역 밖은 5배) 이내의 토지를 말한다.

01 1세대란

1세대란, 거주자 및 그 배우자가 그들과 동일한 주소 또는 거소에서 생계를 같이 하는 가족과 함께 구성하는 1세대를 말한다.

가족은 거주자와 그 배우자의 직계존비속(그 배우자를 포함한다) 및 형제자매를 말하며, 취학, 질병의 요양, 근무상 또는 사업상의 형편으로 본래의 주소 또는 거소를 일시 퇴거한 자를 포함한다.

배우자의 직계존속(장인, 장모, 시부모)과 배우자의 형제자매(처제, 처남, 시동생)도 동일한 주소에서 생계를 같이 하는 경우에는 가족의 범위에 포함되나, 형제자매의 배우자(형수, 제수, 동서, 형부, 제부)는 가족의 범위에서 제외된다. 그리고 부부가 단독으로 세대를 각각 이루거나 별거 중이라 하더라도 법률상 배우자는 동일한 세대로 본다.

세법개정으로 2019년부터 법률상 이혼을 하더라도 사실혼 관계를 유지하고 있는 배우자도 1세대로 본다는 것이다. 개정이유는 다주택가구가 이혼을 위장하고 양도소득세 비과세 혜택을 받는 경우가 많았다. 이러한 사실과 다른 허위로 인한 양도신고를 부인하고 실질적인 관계를 과세근거기준으로 삼기 위함이다.

다음의 경우에는 배우자가 없는 때에도 1세대로 본다.

- 당해 거주자의 연령이 30세 이상인 경우
- 배우자가 사망하거나 이혼한 경우

• 법 제4조에 따른 소득이 「국민기초생활 보장법」 제2조 제11호에 따른 기준 중위소득의 100분의 40 수준 이상으로서 소유하고 있는 주택 또는 토지를 관리·유지하면서 독립된 생계를 유지할 수 있는 경우. 다만, 미성년자의 경우를 제외하되, 미성년자의 결혼, 가족의 사망 그 밖에 기획재정부령이 정하는 사유로 1세대의 구성이 불가피한 경우에는 그러하지 아니하다.

02 1세대의 판정기준

1세대에 해당되는지 여부는 주택을 양도하는 시점, 양도일 현재를 기준으로 판정하는 것이며, 같은 장소에서 생계를 같이 하는 가족의 주민등록상 현황과 사실상 현황이 다른 경우에는 사실상 현황에 의한다.

03 1주택

주택이란, 공부상의 용도구분에 불구하고 사실상 주거용으로 사용하는 건물과 그 부속건물을 말한다. 따라서 공부상 상가 또는 사무실로 되어 있는 건물이나 무허가 건물도 실제로 주택으로 사용되는 때에는 주택으로 본다. 그리고 농가주택의 부수창고 등도 주택으로 본다.

등기상의 용도에 불문하고 실질적으로 주택으로 사용한 경우에는 이를 입증할 수 있는 사진, 전기료, 수도료 등을 통해 주택사용을 적극적으로 설명할 수 있어야 한다.

04 주택부수토지

세법개정으로 수도권 도시지역의 부수토지 범위가 축소되었다.

비과세되는 1세대 1주택의 부수토지 범위가 종전에는 주택 정착면적의 5배이나 세법개정으로 수도권 도시지역의 부수토지 범위가 조정되어 수도권 도시지역의 경우 주택 정착면적의 3배, 수도권 밖의 도시지역은 5배로 조정되었다.

05 조정대상지역의 2017. 8. 2. 이후 주택 취득 및 2년 거주

조정대상지역에서 2017. 8. 2. 이전에 매매계약을 체결하고 잔금까지 청산한 경우에 조정대상지역의 해당 주택을 1세대 1주택을 판정하는 경우 2년 거주 요건을 적용하지 아니한다.

그리고 2017. 8. 2. 이전에 매매계약은 체결하였으나(매매계약 체결시점에 무주택자에 한하여), 잔금을 8. 2. 이후에 청산하는 경우에도 조정대상지역의 해당 주택을 1세대 1주택을 판정하는 경우 2년 거주 요건을 적용하지 아니한다.

그러나 조정대상지역에서 2017. 8. 2. 이전에 매매계약을 체결하였으나(매매계약 체결시점에 주택을 보유한 경우) 잔금청산시점이 8. 2. 이후에 해당되는 경우에는, 취득시점이 8. 2. 이후이므로 1세대 1주택을 판정하는 경우 2년 거주 요건을 반드시 갖추어야 한다.

그리고 2017. 8. 2. 이후 조정대상지역에서 주택을 취득하고 1세대 1주택 비과세 혜택을 받고자 하는 자는 2년 보유와 동시에 2년 거주기간을 반드시 충족하여야 한다.

2020. 12. 18. 현재 조정대상지역은 다음과 같다.

구분	조정대상지역
서울	서울시 전 지역 25개구 강남, 서초, 송파, 강동, 용산, 성동, 노원, 마포, 양천, 영등포, 강서, 구로, 금천, 동작, 관악, 은평, 서대문, 종로, 중구, 성북, 강북, 도봉, 중랑, 동대문, 광진
경기도	과천시, 성남시, 하남시, 화성시 동탄, 광명시, 구리시, 안양시 동안·만안, 광교지구, 수원시 팔달·장안·영통·권선, 용인시 기흥·수지, 의왕시, 고양시, 남양주시, 화성시, 군포시, 안성시, 부천시, 안산시, 시흥시, 용인시 처인, 오산시, 평택시, 광주시, 양주시, 의정부시, 김포시, 파주시
인천	중, 동, 미추홀, 연수, 남동, 부평, 계양, 서
대전	동, 중, 서, 유성, 대덕
대구	수성, 중, 동, 서, 남, 북, 달서, 달성군
세종특별시	세종특별자치시
충북	청주
부산	해운대, 수영, 동래, 남, 연제, 서, 동, 영도, 부산진, 금정, 북, 강서, 사상, 사하
광주	동, 서, 남, 북, 광산
울산	중, 남
충남	천안시 동남, 서북, 논산시, 공주시
전북	전주시 완산, 덕진
전남	여수시, 순천시, 광양시
경북	포항시 남, 경산시
경남	창원시 성산

06 보유기간

보유기간이란, 주택을 취득한 날부터 양도한 날까지의 기간을 말한다.

이러한 보유기간은 양도소득세 계산시 다음의 세법 규정에 영향을 줌으로써 중요한 역할을 하고 있다.

- 양도하는 토지, 건물을 3년 이상 보유했는지가 장기보유특별공제 여부를 결정하게 된다.
- 매각하는 양도자산의 보유기간에 따라 적용되는 양도소득세율이 급격하게 달라진다.
- 보유기간이 1년 미만인 경우 70%, 1년 이상 2년 미만인 경우 60% 등 단기보유에 따른 양도세 중과세율이 높다.
- 자산을 양도하고 난 후 양도시점을 잘못 판단하면, 양도세 신고기간을 경과하게 되어 가산세가 부과된다.

만약 국세청에서 판단하는 양도시점과 납세자가 생각하는 양도시점이 상이하여 양도세 전반에 대한 흐름이 잘못 이루어진 경우에는 엄청난 가산세가 발생하여, 양도소득세로 인해 잠 못 이루는 밤을 맞이할 수 있다. 따라서 양도시점, 보유시점의 판단은 상당히 중요하다.

원칙적으로 대금 청산한 날을 자산의 양도·취득시기로 보며, 잔금청산일과 등기접수일 중 빠른 날(계약일 아님)을 양도·취득시기로 본다.

그러나 자산을 이전하는 다양한 형태에 따라 자산의 양도시점과 취득시점이 달라진다.

그리고 세법개정으로 1주택자의 비과세 보유기간을 강화하였다. 2021. 1. 1. 이후 양도하는 1세대 1주택의 비과세를 판단하는 경우, 보유기간은 다주택 상태인 기간은 제외하고 1주택 상태인 기간부터 기산하여 2년을 보유하여야 한다(조정대상지역 지정 이후에 취득한 주택은 보유기간 중 2년 이상 거주).

주택을 2년 이상 보유하여야 하나, 다음의 경우는 보유기간의 제한을 받지 아니한다.

(1) 보유기간의 제한을 받지 않는 경우

1) 취학, 1년 이상 질병의 치료·요양, 근무상 형편, 학교 폭력 피해로 전학하는 경우

1년 이상 살던 주택을 팔고 세대원 모두가 다른 시·군지역으로 이사를 할 경우 2년 이상 보유기간의 제한을 받지 아니한다. 이때 부득이한 사유로 주택을 양도하는 경우에도 반드시 1년 이상을 거주한 후에 양도해야 비과세 적용을 받을 수 있으므로, 이 점을 특히 유의해야 한다.

보유기간 특례요건

- 해당 주택에서 1년 이상 거주할 것
- 세대 전원이 다른 시·군으로 거주 이전할 것
- 양도일 현재 부득이한 사유가 발생할 것
- 부득이한 사유가 다음 중 하나에 해당할 것
  - 교육법에 의한 학교에의 취학(유치원·초등학교·중학교는 제외)
  - 직장의 변경이나 전근 등 근무상의 형편
  - 1년 이상의 치료나 요양을 필요로 하는 질병의 치료 또는 요양
  - 「학교폭력예방 및 대책에 관한 법률」에 따른 학교폭력대책자치위원회가 피해학생에게 전학이 필요하다고 인정하는 경우(강제전학을 가는 가해자는 제외)

2) 해외이주 또는 해외출국하는 경우

해외이주법에 따른 해외이주로 세대 전원이 출국하는 경우와 1년 이상 계속하여 국외거주를 필요로 하는 취학 또는 근무상의 형편으로 세대 전원이 출국하는 경우, 출국 후 2년 이내에 양도하면 보유기간 및 거주기간에 관계없이 비과세한다.

또한 해외이주신고확인서를 교부받은 경우에는 발행일로부터 1년 내에 출국하면서 출국 전에 다른 주택을 취득하지 않을 조건으로 주택을 양도하는 경우 비과세한다.

3) 재개발·재건축 기간 중에 취득한 주택을 양도하는 경우

1세대가 소유한 1개 주택이 재개발·재건축 사업시행으로 사업기간 중에 다른 주택(대체주택)을 취득하여 거주하다가 재개발·재건축이 완공된 주택으로 이사하게 되어 대체주택을 양도하는 경우, 아래 요건을 모두 충족하면 그 보유기간의 제한을 받지 아니하고 비과세를 받을 수 있다.

- 사업시행인가일 이후 대체주택을 취득하고 1년 이상 거주
- 재개발·재건축 주택 완공 전 또는 완공 후 2년 이내에 대체주택 양도
- 완공 후 2년 이내 재개발·재건축 주택으로 세대 전원이 이사하고 1년 이상 계속하여 거주(다만, 취학, 근무상 형편, 질병 요양 등의 경우는 세대원 일부가 이사하지 않더라도 가능)

07 1세대 1주택이라도 과세되는 경우

(1) 미등기양도는 70% 중과세

1세대 1주택이라도 취득등기를 하지 않고 매도하는, 이른바 '미등기 전매'는 양도차익의 70% 양도소득세를 납부해야 한다.

(2) 1세대 1주택이라도 고가주택은 과세

1) 고가주택

고가주택이란, 주택과 그 부수토지의 양도 당시의 실지거래가액의 합계액이 9억 원을 초과하는 주택을 말한다.

겸용주택의 경우, 1세대 1주택을 판정하는 경우 주택의 면적이 주택 외의 면적보다 커서 전체를 주택으로 보는 경우에는 주택 외의 부분을 포함한 전체 실거래가액을 기준으로 고가주택 여부를 판정한다.

2) 고가주택에 과세되는 양도소득

1세대 1주택 비과세 요건을 갖춘 고가주택의 양도차익 계산은 다음과 같다.

과세되는 고가주택의 양도차익

$$(양도가액 - 취득가액\ 등) \times \frac{(양도가액 - 9억\ 원)}{양도가액}$$

과세되는 고가주택의 장기보유특별공제액

$$장기보유특별공제액 \times \frac{(양도가액 - 9억\ 원)}{양도가액}$$

위의 산식에서 알 수 있듯이, 고가주택이 1세대 1주택 비과세 요건을 갖추었다면 양도차익 전체에 대하여 양도소득세가 과세되는 것이 아니라, 9억 원을 초과하는 부분에 대해서만 양도소득세가 과세된다.

3) 실질과 다른 업·다운매매계약서 작성 시 비과세 배제

2011년 7월 1일 이후 최초로 매매계약하는 분부터 매매계약서의 거래가액을 실지거래가액과 다르게 적은 경우에는 양도소득세의 비과세 규정을 적용할 때 비과세받을 세액에서 아래 ①과 ② 중 적은 금액을 뺀 세액만 비과세한다.

① 비과세를 적용하지 않은 경우의 산출세액

② 매매계약서의 거래가액과 실지거래가액과의 차액

Chapter 3 1세대 1주택자 조합원입주권 비과세

Kim Yeon Ju & Lim Jun Chan

「도시 및 주거환경정비법」에 따른 조합원입주권은 재개발·재건축이 예정된 주택이 「도시 및 주거환경정비법」상 관리처분계획인가일 이후에는 더 이상 주택으로 보지 아니하고, 주택을 취득할 수 있는 권리로 본다.

그리고 보유주택 수 계산 시 주택 수 산정에는 포함되나, 주택을 취득할 수 있는 권리로 평가하므로 주택에 해당되지 아니한다.

따라서 1세대가 1주택과 「도시 및 주거환경정비법」에 따른 관리처분계획인가로 취득한 1입주권을 보유하는 경우에도 주택 수는 2주택이나, 1주택자로 보아 판단한다.

즉, 주택 수의 계산은 2주택자(조합원입주권도 주택 수에 계산)에 해당되지만, 1입주권은 주택을 취득할 수 있는 권리로 보고 1주택으로 과세 여부를 결정한다.

01 재개발·재건축으로 취득한 조합원입주권을 양도한 경우

1세대 1주택인 자가 보유하던 주택(종전주택)이 재개발(재건축) 사업으로 인해 조합을 통하여 취득한 입주권(원조합원입주권)을 양도하는 경우, 종전주택이 관리처분계획인가일과 주택의 철거일 중 빠른 날 현재 1세대 1주택 비과세 요건에 부합해야 한다.

(1) 주택을 조합원입주권 취득일로부터 3년 이내에 양도하고, 다음의 요건을 모두 충족하는 경우

조합원입주권을 대체취득하는 주택으로 보아 일시적 1세대 2주택 비과세 요건을 적용한 것이다.

- 종전주택을 취득한 날부터 1년 이상이 지난 후 조합원입주권 취득
- 조합원입주권을 취득한 날부터 3년 이내에 종전주택 양도
- 종전주택은 1세대 1주택 비과세 요건(2년 이상 보유, 양도가액 9억 원 이하)을 충족할 것

(2) 주택을 조합원입주권 취득일로부터 3년이 지나서 양도하고, 다음의 요건을 모두 충족하는 경우

- 재개발·재건축 주택이 완성된 후 2년 이내에 재개발·재건축 주택으로 세대 전원이 이사하여 1년 이상 계속 거주할 것
- 재개발·재건축 주택이 완성되기 전 또는 완성된 후 2년 이내에 종전주택 양도
- 종전주택은 1세대 1주택 비과세 요건(2년 이상 보유, 양도가액 9억 원 이하)을 충족할 것

(3) 1세대 소유의 1주택이 조합원입주권으로 전환되어 재개발·재건축 사업시행기간 중 주거용으로 취득한 주택(대체주택)을 양도하고, 다음의 요건을 모두 충족하는 경우

- 사업시행인가일 이후 대체주택을 취득하고 1년 이상 거주
- 재개발·재건축 주택이 완성된 후 2년 이내에 재개발·재건축 주택으로 세대 전원이 이사(다만, 취학, 근무상 형편, 질병의 요양, 그 밖의 부득이한 사유로 세대원 일부가 이사하지 못하는 경우 포함)하여 1년 이상 계속 거주
- 재개발·재건축 주택이 완성되기 전 또는 완성된 후 2년 이내에 대체주택 양도

02 재개발(재건축) 조합원이 취득한 아파트를 양도한 경우

보유하던 주택(종전주택)이 재개발(재건축) 사업에 따라 철거된 후, 애초 재개발(재건축) 조합원으로서 분양받은 아파트가 완공되어 이를 매각하게 되면 재개발(재건축) 주택의 보유기간, 종전주택의 보유기간, 공사기간, 완공주택의 보유기간을 통산하여 비과세 요건을 갖춘 경우 양도소득세가 과세되지 아니한다.

Chapter 4 | 1세대 2주택자 비과세 특례

Kim Yeon Ju & Lim Jun Chan

원칙적으로 1세대가 1주택을 2년 이상 보유하고, 조정대상지역은 2년 이상 거주한 주택을 양도하는 주택에 대해 비과세를 적용한다.

그러나 다른 곳으로 이사하기 위해 대체취득하는 경우, 부모의 동거봉양, 결혼, 취학, 상속 등 실생활에서 불가피하게 발생되는 일시적 2주택과 주택임대사업 활성화를 위한 양도소득세 감면 등의 세제혜택을 두고 있다.

이는 현실에서 발생되는 경제상황을 반영하고 주택임대사업육성을 위한 정책적 목적이라 할 수 있다.

01 1세대가 일시적으로 2주택을 보유하게 될 때

1주택을 소유한 1세대가 그 주택을 양도하기 전에 새로운 주택을 취득함으로써 일시적으로 2주택이 된 경우이다.

이때 다음의 요건을 모두 충족하고 종전의 주택을 양도하면 1세대 1주택으로 보아 양도소득세를 비과세한다.

비과세 요건

- 종전의 주택을 취득한 날로부터 1년 이상이 지난 후 새로운 주택을 취득해야 한다.
- 새로운 주택을 취득한 날로부터 3년 이내에 종전주택을 양도해야 한다.
- 조정대상지역의 경우에는 2년 이상 거주를 하여야 한다.
- 양도일 현재 1세대 1주택 비과세 요건을 갖추어야 한다.

세법개정으로 조정대상지역에 종전주택이 있고, 조정대상지역에 신규주택을 취득하는 경우에는 1세대 2주택의 대체취득 기간이 2년에서 1년으로 단축되었다.

따라서 대체취득으로 인한 중복기간이 1년이므로, 1년 이내에 처분하고 1년 이내에 새로운 주택으로 전입하여야 대체취득에 따른 1세대 1주택 비과세 적용을 받을 수 있다.

그러나 조정지역에 종전주택이 있는 자가 비조정지역에 대체주택을 취득하는 경우, 비조정지역에 종전주택이 있는 자가 조정지역에 대체주택을 취득하는 경우에는 3년의 중복기간이 그대로 적용된다.

다만, 조정대상지역의 공고가 있은 날 이전에 해당 지역의 주택을 양도하기 위하여 매매계약을 체결하고 계약금을 지급받은 사실이 증빙서류에 의해 확인되는 주택은 종전 규정을 적용한다.

조정대상지역의 일시적 1세대 2주택 비과세 요건이 강화되었다. 2019. 12. 17. 이후 조정대상지역에서 주택을 취득하는 1세대 1주택자는 대체취득일로부터 1년 내에 전입하고 기존주택을 양도하여야 비과세를 적용받을 수 있다. 즉, 조정대상지역의 일시적 2주택자의 전입요건 강화와 중복보유 허용기간을 단축하였다.

조정대상지역 내 일시적으로 1세대 2주택 비과세를 적용받기 위해서는 대체주택을 취득하고 취득일로부터 1년 이내에 기존주택을 양도하고, 동시에 취득일로부터 1년 이내에 대체주택에 전입을 하여야 한다. 2019. 12. 17. 이후부터 조정대상지역에서 신규로 취득하는 주택에 대해 적용한다.

이 규정은 기존주택과 대체주택 모두가 조정대상지역에 있는 경우에만 적용된다. 따라서 기존주택과 대체주택 둘 중에 비조정대상지역에 해당되는 주택이 있다면 종전 규정을 적용하여 대체주택 취득일부터 3년 이내에 기존주택을 양도하면 비과세 혜택을 적용받을 수 있다.

2018년 9·13 부동산 대책 중에서 조정대상지역의 투기세력 근절을 위하여, 일시적 1세대 2주택의 대체취득 중복기간을 2년으로 단축하였다.

기존주택과 대체취득하는 주택이 모두 조정대상지역 내에 존재하는 경우에는 중복보유를 인정하는 기간이 2년이며, 그 외에 기존주택이나 대체취득하는 주택 소재지가 조정대상지역 외의 지역에 소재하는 경우에는 중복기간을 3년으로 본다.

02 직계존속(노부모)을 모시기 위해 세대를 합쳐 2주택을 보유하게 될 때

1주택을 보유한 1세대가 1주택을 보유하고 있는 60세 이상의 직계존속(배우자의 직계존속을 포함)을 모시기 위해 세대를 합침으로써 1세대가 2주택을 보유하게 된 경우, 세대를 합친 날로부터 10년 이내에 먼저 양도하는 주택에 대하여는 양도소득세를 비과세한다. 그리고 암, 희귀성 질환 등의 질병을 앓고 있는 부모를 동거봉양하는 경우에는 60세 미만의 부모라도 적용된다.

비과세 요건

- 세대를 합친 날로부터 10년 이내에 양도해야 한다.
- 노부모(직계존속 중 어느 한 사람 또는 모두가 60세 이상)를 봉양해야 한다.
- 양도하는 주택이 양도일 현재 1세대 1주택 비과세 요건을 갖추어야 한다.

03 혼인으로 2주택을 보유하게 될 때

1주택을 보유하는 자가 1주택을 보유하는 자와 혼인함으로써 1세대가 2개의 주택을 보유하게 된 경우 또는 1주택을 보유하는 자가 1주택을 보유한 직계존속(60세 이상)과 거주 중인 무주택자와 혼인하여 1세대가 2개의 주택을 보유하게 된 경우, 혼인한 날로부터 5년 이내에 먼저 양도하는 비과세 요건을 갖춘 주택에 대하여는 양도소득세를 비과세한다.

비과세 요건

• 혼인한 날로부터 5년 이내에 양도해야 한다.
• 양도하는 주택이 양도일 현재 1세대 1주택 비과세 요건을 갖추어야 한다.

04 상속을 받아 2주택을 보유하게 될 때

(1) 일반주택을 양도하는 경우

상속개시 당시 별도세대로부터 상속받은 주택(조합원입주권을 상속받아 사업시행 완료 후 취득한 신축주택 포함)과 일반주택(상속개시 당시 보유한 주택 또는 상속개시 당시 보유한 조합원입주권에 의하여 사업시행 완료 후 취득한 신축주택만 해당)을 국내에 각각 1개씩 소유하고 있는 1세대가 양도하는 일반주택이 비과세 요건을 갖추었다면 양도소득세를 과세하지 않는다.

피상속인(사망한 사람)이 상속개시 당시 두 개 이상의 주택을 소유한 경우에는 피상속인을 기준으로 아래 '가 > 나 > 다 > 라' 순위에 따른 1주택에 대해서만 상속주택(조합원입주권을 받아 사업시행 완료 후 취득한 신축주택을 포함) 특례가 적용된다.

가. 피상속인이 소유한 기간이 가장 긴 1주택
나. '가'와 같은 주택이 2 이상일 경우에는 피상속인이 거주한 기간이 가장 긴 1주택
다. '가'와 '나'가 모두 같은 주택이 2 이상일 경우에는 피상속인이 상속개시 당시 거주한 1주택
라. 피상속인이 거주한 사실이 없고, '가'와 같은 주택이 2 이상일 경우에는 기준시가가 가장 높은 1주택(기준시가가 같은 경우에는 상속인이 선택하는 1주택)

공동상속주택(2개 이상일 경우, 위 '가 > 나 > 다 > 라'의 순위에 따른 1주택을 말함) 외 다른 주택을 양도할 때에는 해당 공동상속주택은 상속지분이 가장 큰 상속인의 소유로 보며, 상속지분이 가장 큰 상속인이 2인 이상인 경우에는 아래 '마 > 바' 순위에 따라 해당 공동상속주택을 소유한 것으로 본다.

마. 당해 주택에 거주하는 자
바. 최연장자

(2) 상속받은 주택을 먼저 양도하는 경우

그러나 상속받은 주택을 먼저 양도하는 경우에는 양도소득세가 과세된다. 따라서 상속받은 주택이라도 일반주택과 마찬가지로 양도 당시 1세대 1주택 비과세 요건을 갖추어야 양도소득세가 과세되지 않는다.

05 취학 등의 사유로 수도권 밖에 소재하는 주택을 취득하여 2주택이 된 경우

1주택(일반주택)을 소유한 1세대가 취학(유치원·초등학교 및 중학교 제외), 직장의 변경이나 전근 등 근무상의 형편, 1년 이상 질병의 치료나 요양의 사유로 수도권 밖에 소재하는 1주택을 취득하여 1세대 2주택이 된 경우 부득이한 사유가 해소된 날부터 3년 이내에 일반주택(비과세 요건을 갖춘 경우에 한함)을 팔면 양도소득세가 과세되지 아니한다.

이때 사유가 발생한 당사자 외의 세대원 중 일부가 취학, 근무 또는 사업상 형편 등으로 당사자와 함께 주거이전을 하지 못하는 경우 세대원이 전원 주거이전한 것으로 본다.

06 상가와 주택이 함께 있는 겸용주택에서 주택면적이 상가면적보다 클 때

1세대 1주택자가 상가가 함께 있는 주택(비과세 요건을 갖춘 경우에 한함)을 매매할 때에는 주택면적이 점포면적보다 큰 경우 점포도 주택으로 보아 양도소득세를 과세하지 아니한다. 그러나 주택면적이 상가면적보다 같거나 작은 경우 주택면적만 주택으로 본다.

따라서 전체를 주택으로 보는 비과세 혜택을 받기 위해서는 실질적으로 주택으로 사용하고 있는 면적을 확보하는 것이 관건이다.

그리고 겸용주택을 신축하는 경우에는 상가면적보다 주택면적을 조금이라도 더 크게 하면 공부상 주택면적이 상가면적보다 크다는 것이 증명되므로, 전체를 주택으로 인정받아 양도소득세의 세제혜택을 크게 받을 수 있다.

이에 반해 주택면적과 상가면적이 비슷한 경우에는, 조금이라도 더 주택면적으로 인정받기 위해 주택사용의 적극적인 입증이 필요한 경우도 있다.

다음과 같은 상황에서 실제 주택으로 사용하고 있는 경우, 적극적으로 주택 사용임을 입증하여 전체를 비과세받도록 해야 한다.

그러나 세법개정으로 인해 2022년부터 주택면적이 더 크더라도 해당하는 주택부분에 대해서만 주택으로 보아 비과세를 적용하므로, 주택이 아닌 상가부분에 대해서 양도소득세를 과세한다. 따라서 겸용주택이 비과세 요건을 갖추더라도, 상가부분과 상가부수토지는 더 이상 주택으로 보지 아니하며 상가부분은 과세대상이 된다.

겸용주택의 경우 2021년까지 양도하는 경우에 한하여 주택면적이 상가면적보다 큰 경우 전체를 주택으로 보아 비과세를 적용받을 수 있으므로, 겸용주택 소유자는 이 규정을 적극 활용할 가치가 있다.

(1) 상가 내에 세입자가 주거용으로 사용하는 방이 있는 경우

임차인이 가족과 함께 상가 내의 방에서 거주한 사실이 확인되는 경우에는 주택으로 인정해 주고 있다.

상가에 딸린 방이 있는 경우에는, 다음과 같은 서류를 준비하여 주택임을 적극 입증하여야 한다.

- 임대차계약서 사본(당초 계약을 할 때 점포면적과 주택면적을 구분기재 하는 것이 좋음)
- 세입자의 주민등록표 등본
- 인근주민들의 거주사실확인서
- 기타 세입자가 거주한 사실을 입증할 수 있는 서류

(2) 계단의 경우도 실질적인 사용용도로 구분하여 주택면적에 포함

주택면적과 상가 등의 면적이 같거나 비슷한 경우에는 계단의 실지 사용용도에 따라 구분하고, 용도가 불분명한 경우에는 주택면적과 상가면적의 비율로 안분계산한다.

예를 들어, 1층은 상가이고 2층은 주택인 겸용주택으로서 2층 전용계단이 1층에 설치된 경우 1층 중 주택으로 사용하는 계단부분은 주택으로 본다.

또한 3, 4층 주택을 올라가기 위한 주택전용 계단이 2층에 설치된 경우 2층 면적 중 주택으로 사용하는 계단부분도 주택으로 볼 수 있다.

(3) 지하실의 경우 실질적인 사용용도로 구분하여 주택면적에 포함

지하실은 실제로 사용하는 용도에 따라 구분하고, 용도가 불분명한 경우에는 주택면적과 상가면적의 비율로 안분하여 구분한다.

주거용으로 사용하는 경우, 전체를 주택으로 볼 수 있도록 이를 적극 입증하여야 한다.

구분	비과세 여부
주택 > 상가	전체를 주택으로 보아 비과세
주택 ≤ 상가	주택부분만 비과세, 상가는 과세

07 임대주택사업자의 거주주택 비과세 특례
(거주주택과 임대사업등록된 임대주택 보유)

장기임대주택(「소득세법 시행령」 제167조의3 제1항 제2호에 따른 주택)과 그 밖의 1주택을 국내에 소유하고 있는 1세대가 다음의 요건을 모두 충족하는 해당 1주택(거주주택)을 양도하는 경우에는, 국내에 1개의 주택을 소유하고 있는 것으로 보아 비과세 여부를 판단한다.

세법개정으로 단 1회의 거주주택 비과세와 임대주택이 여러 채인 경우, 임대주택을 거주주택으로 전환하는 경우에도 전체 양도차익에 대해서 과세를 하도록 규정되었다.

다만, 최종적으로 임대주택 1채만 보유하게 된 후 거주주택으로 전환 시에는 직전 거주주택 양도 후 양도차익분에 대해서만 비과세를 적용한다.

이 경우 해당 거주주택이 「민간임대주택에 관한 특별법」 제5조에 따라 민간임대주택으로 등록한 사실이 있고, 그 보유기간 중에 양도한 다른 거주주택(직전 거주주택)이 있는 거주주택(직전 거주주택 보유주택)인 경우에는 직전 거주주택의 양도일 후의 기간분에 대해서만 국내에 1개의 주택을 소유하고 있는 것으로 보아 1세대 1주택 비과세 규정을 적용한다.

임대주택사업자의 거주주택 비과세 특례 요건(①, ② 모두 충족)

① 거주기간(직전 거주주택 보유주택의 경우에는 「소득세법」 제168조에 따른 사업자등록 및 「민간임대주택에 관한 특별법」 제5조에 따라 임대주택사업자로 등록한 날 이후의 거주기간을 말한다)이 2년 이상일 것

② 양도일 현재 장기임대주택을 「소득세법」 제168조에 따른 사업자등록 및 「민간임대주택에 관한 특별법」 제5조에 따른 임대주택으로 등록하여 임대하고 있을 것

장기임대주택 임대기간 요건(5년 이상 임대) 충족 전에 거주주택을 양도하는 경우에도 거주주택 비과세 특례는 적용된다.

다만, 1세대가 거주주택 비과세 특례를 적용받은 후 장기임대주택의 임대기간 요건을 충족하지 못하게 된 때(장기임대주택의 임대의무 호수를 임대하지 아니한 기간이 6개월을 지난 경우를 포함)에는 그 사유가 발생한 날이 속하는 달의 말일부터 2개월 이내에 양도소득세를 신고·납부하여야 한다.

08 농어촌주택을 포함하여 2채의 집을 보유한 경우

농어촌주택과 일반주택을 각각 1개씩 소유한 1세대가 비과세 요건을 갖춘 일반주택을 양도하면(귀농주택의 경우 그 취득일부터 5년 안에 일반주택을 양도하여야 함) 양도소득세가 과세되지 아니한다.

또한 1주택을 소유한 1세대가 2003년 8월 1일(고향주택은 2009년 1월 1일)부터 2017년 12월 31일까지의 기간 중에 농어촌(고향) 지역에 소재하는 일정 규모 이하의 주택을 취득하여 1세대 2주택이 된 경우에는 농어촌주택 등 취득 전에 보유하던 일반주택 양도 시 비과세 해당 여부는 농어촌주택을 제외하고 판단한다(이때는 농어촌주택을 3년 이상 보유).

'농어촌주택'이란, 서울·인천·경기도를 제외한 읍·면지역(도시지역 내는 제외)에 소재한 다음의 주택을 말한다.

• 상속주택: 피상속인이 취득 후 5년 이상 거주한 사실이 있는 주택

• 이농주택: 농·어업에 종사하던 자가 취득일로부터 5년 이상 거주한 사실이 있는 주택

• 귀농주택: 농업 또는 어업에 종사하고자 하는 자가 취득(귀농 이전 취득 포함)하여 거주하는 다음의 요건을 갖춘 주택을 말하며, 귀농주택소유자는 귀농일로부터 계속하여 3년 이상 농업·어업에 종사하여야 하고, 같은 기간에 세대 전원도 함께 이사(취학, 근무상의 형편, 질병의 요양, 그 밖의 부득이한 사유로 세대의 구성원 중 일부가 이사하지 못하는 경우 포함)하여 거주해야 한다.
  - 고가주택(실가 9억 원 초과)에 해당하지 않을 것
  - 대지면적 660㎡ 이내일 것
  - 1,000㎡ 이상의 농지를 소유한 자가 해당 농지소재지에 있는 주택을 취득하거나, 1,000㎡ 이상의 농지를 소유하기 전 1년 이내에 해당 농지소재지에 있는 주택을 취득하는 것일 것

농어촌주택

• 농어촌지역: 읍·면 인구 20만 명 이하인 시의 동지역(수도권, 도시지역, 토지거래 허가구역, 지정지역, 관광단지지역은 제외)
• 주택규모: 대지 660㎡ 이내
• 주택가격: 농어촌주택 취득 시 기준시가 2억 원 이하
(한옥은 4억 원 이하 → 2014년 1월 1일 이후 취득분부터 적용)

고향주택

• 고향주택: 10년 이상 거주한 사실이 있는 인구 20만 명 이하인 시지역(수도권, 투기지역, 관광단지지역은 제외)
• 주택규모: 대지 660㎡ 이내
• 주택가격: 고향주택 취득 시 기준시가 2억 원 이하
(한옥은 4억 원 이하 → 2014년 1월 1일 이후 취득분부터 적용)

인구 20만 이하인 시

농어촌(고향)주택 소재 지역 범위(제99조의4 제2항 관련)

구분	시(26개)
충북	제천시
충남	계룡시, 공주시, 논산시, 보령시, 당진시, 서산시
강원	동해시, 삼척시, 속초시, 태백시
전북	김제시, 남원시, 정읍시
전남	광양시, 나주시
경북	김천시, 문경시, 상주시, 안동시, 영주시, 영천시
경남	밀양시, 사천시, 통영시
제주	서귀포시

비고) 위의 표는 「통계법」 제18조에 따라 통계청장이 통계작성에 관하여 승인한 주민등록인구 현황 (2015년 12월 주민등록인구 기준)을 기준으로 인구 20만 명 이하의 시를 열거한 것임.

09 양수자가 등기이전을 하지 않아 2주택이 된 경우

양도소득세가 해당되지 않는 1세대 1주택을 팔았으나, 집을 산 사람이 등기이전을 하지 않아서 공부상 1세대 2주택으로 나타난 경우 매매계약서 등에 의하여 종전의 주택을 판(잔금을 받은) 사실이 확인되면 양도소득세가 과세되지 아니한다.

10 한 울타리 안에 2주택이 있는 경우

한 울타리 안에 집이 두 개가 있어도 1세대가 주거용으로 모두 사용하고 있을 때에는 1세대 1주택으로 본다.

Chapter 5 다가구주택 & 다세대주택 & 오피스텔

Kim Yeon Ju & Lim Jun Chan

보유하는 주택을 양도하고 양도소득세를 계산할 때, 정작 소유하고 있던 주택이 세법상 어떤 주택으로 규정되어 과세되고 있는지 모르는 경우가 많다.

그리하여 양도 당시 예상했던 세금과 실제 납부해야 하는 세금에 큰 차이가 발생하여 난감해하는 경우가 있다.

따라서 최소한 자신이 소유하고 있는 건물이 다가구인지, 다세대인지, 오피스텔인지 등 보유하고 있는 부동산이 어떤 건물에 해당하는지를 알고 세법상 어떻게 해석되는지를 알고 있다면, 양도소득세를 이해하는데 큰 도움이 되리라 생각한다.

또한 부동산을 양도하기 전 전문세무사와 충분히 상의 후 양도소득세를 예측하고 매매를 준비하여야 한다.

01 다가구주택

다가구주택은 「건축법」에 의한 용도별 건축물의 종류상 단독주택에 해당한다.

주택으로 쓰이는 층수(지하층 제외)가 3개층 이하이고, 1개 동의 주택으로 쓰는 바닥면적(지하주차장 면적 제외)의 합계가 660㎡ 이하이며, 19세대 이하가 거주할 수 있는 주택을 말한다.

다만, 다가구주택의 층수를 산정함에 있어서 1층 바닥면적의 1/2 이상을 필로티 구조로 하여 주차장으로 사용하고, 나머지 부분을 주택 외의 용도로 쓰는 경우에는 해당 층을 주택의 층수에서 제외한다.

세법상 다가구주택은 여러 가구가 한 건물에 거주할 수 있도록 국토교통부 장관이 정하는 다가구용 단독주택의 건축기준에 의해 건축허가를 받아 건축한 단독주택이다. 그러나 한 가구씩 독립하여 거주할 수 있도록 구획된 부분을 하나의 주택으로 본다.

따라서 건축법상 공동주택에 해당되지는 않지만, 세법을 적용할 때는 공동주택으로 본다. 다만, 해당 다가구를 구획된 부분별로 양도하지 아니하고 하나의 매매단위로 양도하는 경우에는 그 전체를 하나의 주택으로 본다.

이러한 경우에는 하나의 매매단위로 하여 양도하거나 취득하는 경우 이를 단독주택으로 보아 비과세 여부를 판정한다.

02 공동주택 중 다세대주택

건축법상 공동주택은 건축물의 벽, 복도, 계단 그 밖의 설비 등의 전부 또는 일부를 공동으로 사용하는 각 세대가 하나의 건축물 안에서 각각 독립된 주거생활을 영위할 수 있는 구조로 된 주택을 말한다. 이에는 아파트, 연립주택, 다세대주택, 기숙사가 있다.

다세대주택은 「건축법」에 의한 용도별 건축물의 종류상 공동주택에 해당한다.

주택으로 쓰는 1개 동의 바닥면적 합계가 660㎡ 이하이고, 층수가 4개층 이하인 주택을 말한다.

다만, 2개 이상의 동을 지하주차장으로 연결하는 경우에는 각각의 동으로 보며 지하주차장 면적은 바닥면적에서 제외하고, 층수를 산정할 때는 1층의 바닥면적 1/2 이상을 필로티 구조로 하여 주차장으로 사용하고 나머지 부분을 주택 외의 용도로 쓰는 경우에는 해당 층을 주택의 층수에서 제외한다.

세법상 다세대주택은 세대별로 독립하여 거주할 수 있도록 구획된 부분을 하나의 주택으로 보는 것이므로, 1호의 주택을 1주택으로 보아 판단한다.

따라서 다세대주택을 하나의 매매단위로 양도하는 경우에도 각 1호의 주택을 1주택으로 보아 주택 수를 계산한다.

그리고 다세대주택을 다가구주택으로 용도를 변경하여 매매하는 경우에는 용도변경일 이후 1세대 1주택 비과세를 적용할 수 있다.

03 오피스텔

오피스텔은 주택법상 업무시설 중의 하나로 업무를 주로 하며, 분양하거나 임대하는 구획 중 일부 구획에서 숙식을 할 수 있도록 한 건축물로서 국토교통부 장관이 고시하는 기준에 적합한 것을 말한다.

세법상 주택을 판단할 때는 공부상 용도 및 사업자등록상의 여부와 관계없이 실질적으로 주거용으로 사용하는 건물을 주택으로 본다. 만약 오피스텔을 사무실이 아닌 주거용으로 사용하는 경우 주택으로 보고 있으며, 주택 수를 산정할 때도 포함한다.

따라서 오피스텔이 주택에 해당하는지 여부는 사실 확인하여 판단해야 하며, 해당 오피스텔의 주택 구분은 주택과 관련된 건축법령의 규정 및 건축물의 규모와 형태, 사실상 사용하는 용도 등을 종합하여 사실 판단을 하여야 한다.

PART 5

양도소득세 계산구조! 그것이 알고 싶다

Chapter 1 | 양도 개념과 양도소득

Kim Yeon Ju & Lim Jun Chan

01 양도의 개념

양도란 자산에 대한 등기 또는 등록과 관계없이 매도, 교환, 법인에 대한 현물출자 등을 통하여 그 자산을 유상(有償)으로 사실상 이전하는 것을 말한다.

자산이전에 있어 형식이 아닌 실질거래가액이 형성되어 이루어지는 경우, 유상이전의 형식이나 형태에 불문하고 양도로 본다.

즉, 매도뿐 아니라 교환, 법인에 대한 현물출자, 대물변제, 공매, 경매 등도 양도로 본다. 그리고 증여자의 부동산에 설정된 채무를 부담하면서 증여가 이루어지는 부담부증여에 있어서 수증자가 인수하는 채무상당액은 그 자산이 사실상 유상양도되는 결과와 같으므로 양도로 본다.

또한 이혼위자료 지급을 부동산으로 대신한 경우에도 대물변제의 성격으로 보아 양도로 본다.

실지거래가액이란, 자산의 양도 또는 취득 당시에 양도자와 양수자가 실제로 거래한 가액으로서, 해당 자산의 양도 또는 취득과 대가관계에 있는 금전과 그 밖의 재산가액을 말한다.

02 양도로 보지 않는 경우

다음의 경우는 자산이 유상으로 이전되었다 하더라도, 양도로 보지 아니한다.

- 신탁해지를 원인으로 소유권이 원상회복되는 경우
- 공동소유 토지를 소유자별로 단순 분할 등기하는 경우
- 도시개발법에 의한 환지처분으로 지목 또는 지번이 변경되는 경우
- 채무자가 채무변제를 담보하기 위해 자산을 양도하는 계약의 양도담보
- 매매원인무효소송에 의해 매매사실이 환원되는 경우
- 이혼 시 재산분할청구권에 의한 소유권이 이전되는 경우

03 양도소득세의 성격

양도소득은 자산보유의 가치상승에 따라 얻게 되는 실현된 보유이익으로 자본이득에 속한다.

그리고 부동산등을 계속적·주기적·반복적으로 매매하는 사업성을 지닌 부동산매매업(사업소득)과는 달리, 양도소득은 일시적·우발적으로 부동산등의 자산이 매매됨으로써 얻게 되는 소득이므로 사업소득과 그 성격을 달리한다.

따라서 양도소득세란 개인이 토지, 건물등 부동산이나 주식의 양도 또는 분양권과 같은 부동산에 관한 권리를 양도함으로 인하여 발생하는 소득을 과세대상으로 하여 부과하는 세금이다.

그리고 과세대상 부동산등의 취득일부터 양도일까지 보유기간 동안 발생된 소득에 대하여 매매하는 시점에 과세하며, 부동산 양도로 인하여 소득이 발생하지 않았거나 오히려 손해를 본 경우에는 양도소득세가 과세되지 아니한다.

Chapter 2 양도소득 과세대상자산 & 양도차 · 손익의 통산

Kim Yeon Ju & Lim Jun Chan

01 양도소득세 과세대상자산

양도소득세가 과세되는 자산은 다음과 같다.

- 토지란, 「공간정보의 구축 및 관리 등에 관한 법률」에 따라 지적공부(地籍公簿)에 등록하여야 할 지목에 해당하는 것을 말한다.
- 건물은 건물에 부속된 시설물과 구축물을 포함하며, 등기에 불문하고 미등기의 건물도 과세대상이 된다. 또한 허가를 받지 아니하고 무허가 상태로 사용하다가 양도하는 경우에도 해당된다.
- 부동산을 취득할 수 있는 권리로서 건물이 완성되는 때에 그 건물과 이에 부속되는 토지를 취득할 수 있는 권리를 포함한다(아파트 분양권).
- 주식등이란 주식 또는 출자지분을 말하며, 신주인수권과 대통령령으로 정하는 증권예탁증권을 포함한다.

건물 중에서 주택의 경우, 허가 여부나 공부(公簿)상의 용도구분에 관계없이 사실상 주거용으로 사용하는 건물을 말한다. 이 경우 그 용도가 분명하지 아니하면 공부상의 용도에 따른다.

즉, 등기부상 등기나 건축물관리대장의 등재 여부에 관계없이 실질적인 주택으로 사용하고 있는 경우에는 무허가주택도 주택 수에 포함된다.

등기가 가능한 주택임에도 불구하고 미등기 상태로 양도하는 경우에는 장기보유특별공제가 배제되는 것은 물론이고, 250만 원의 양도소득기본공제도 적용하지 아니하며 70%의 세율로 과세한다.

또한 조세특례제한법상의 각종 양도세 감면을 받는 것이 불가능하며, 1세대 1주택 비과세 혜택은 적용받을 수 없다.

그러나 무허가주택이 해당 법령에 따라 등기 자체가 불가능한 경우에는 일반세율을 적용하며, 미등기양도에 따른 불이익을 받지 아니한다.

따라서 등기등록 여부에 관계없이 실질적으로 어떻게 사용되었느냐가 중요하며, 등기가 가능한 자산임에도 미등기 상태에서 거래가 이루어지는 경우에는 양도소득세의 상당한 제제가 예상됨을 반드시 확인하여야 한다.

종류	양도소득대상자산
부동산	토지, 건물(무허가, 미등기 건물도 과세대상 포함)
부동산에 관한 권리	부동산을 취득할 수 있는 권리, 지상권, 전세권, 등기된 부동산임차권
기타자산	사업용 고정자산과 함께 양도하는 영업권, 특정시설물 이용권·회원권, 특정주식, 부동산과다보유법인 주식 등
주식 등	상장법인의 주식 등으로서 당해법인의 대주주 양도분과 장외시장 양도주식, 비상장주식
파생상품	「자본시장과 금융투자업에 관한 법률」 제5조 제2항 제1호 및 제3호에 따른 장내파생상품 중 코스피200 선물·옵션, 미니코스피200 선물·옵션

02 양도차익과 양도손실의 통산

같은 해에 부동산 등을 2회 이상 양도하고, 한쪽은 양도차익이 발생하고 다른 한쪽은 양도차손이 생겼다면 양도한 자산별로 양도차손익을 합산하여 신고해야 한다.

위의 대상자산 중 1) 토지, 건물, 부동산에 대한 권리, 기타자산의 양도소득, 2) 주권상장·코스닥상장·코넥스상장·비상장주식 양도소득, 3) 파생상품 등의 거래로 발생한 양도소득의 3가지 소득으로 구분된다.

이렇게 구분된 그룹별로 각각 양도차익을 계산하여 신고해야 한다. 해당 그룹 간에는 양도차손익의 통산이 가능하나, 서로 다른 그룹 간에는 양도차손을 서로 통산할 수 없다.

그리고 양도하는 자산 중 국내의 자산에 대해서만 양도차손을 인정하며, 1세대 1주택 비과세 소득의 양도차손은 통산하지 아니한다.

그룹 내의 양도차손익을 통산하는 경우에도 양도차손이 발생한 자산과 동일 세율이 적용된 양도자산의 차익과 먼저 통산하고, 통산 후에도 남은 차손이 있다면 다른 세율을 적용받은 양도자산의 소득금액에서 공제할 수 있다.

이때 다른 세율을 적용받는 자산이 2 이상인 경우에는 자산별로 안분계산하여 남아있는 차손을 안분한 비율로 공제한다.

이렇게 양도차손을 공제한 후에도 여전히 양도차손이 남아있다 하더라도, 그 차손은 다음 연도로 이월되지 아니한다.

세법개정으로 국내주식과 해외주식의 양도차익과 양도차손을 통산한다. 종전에는 국내주식은 국내주식끼리, 해외주식은 해외주식끼리 구분하여 양도차손익의 통산이 가능하였으나, 2020년 1월 1일 이후 국내주식과 해외주식을 합산하여 양도차손익을 계산하도록 하였다.

따라서 양도소득 기본공제를 적용할 때에도 국내주식에서 250만 원, 해외주식에서 250만 원 각각 기본공제를 적용하였으나 개정을 통하여 국내주식과 해외주식을 합산하여 기본공제금액 250만 원을 기본공제한다.

국내주식을 양도하는 경우 상장주식은 대주주 양도분만, 비상장주식은 소액주주도 과세된다. 해외주식은 상장여부에 관계없이 과세된다.

Chapter 3 | 장기보유특별공제

Kim Yeon Ju & Lim Jun Chan

01 장기보유특별공제란

부동산 중 3년 이상 보유한 토지나 건물을 양도할 때 양도차익의 일정 비율을 공제하는 제도이다.

장기보유특별공제 제도는 자산의 보유기간이 3년 이상인 자산에 대하여 그 양도소득금액을 계산할 때에 일정액을 공제하여 줌으로써 장기간 보유한 자산양도에 대한 건전한 부동산의 투자행태 내지 소유행태를 유도하는 양도차익의 공제방법이다.

장기보유특별공제는 양도소득세를 산출할 때 세금에 미치는 영향이 크다. 따라서 미등기자산, 조정대상지역의 1세대 2주택자, 3주택자의 양도소득금액을 계산할 때 장기보유특별공제를 적용하지 않을 경우에는 상당한 세부담을 안게 된다.

그리고 미등기 자산은 70%의 세율이 적용되며 1세대 2주택자, 1세대 3주택자가 조정대상지역에 있는 주택을 양도하는 경우에는 장기보유특별공제 배제는 물론이고 2021. 6. 1. 이후 양도분부터 양도소득 기본세율에 20%(2주택자), 30%(3주택자)를 가산한다.

02 장기보유특별공제 대상 자산

공제대상 자산에는 보유기간이 3년 이상인 것으로서 등기된 토지, 건물, 조합원입주권(조합원으로부터 취득한 승계조합원은 제외)이 있으며, 미등기된 자산은 제외된다.

따라서 보유기간, 즉 취득시점부터 양도시점까지의 기간 산정이 매우 중요하며, 해당 자산의 취득시기와 양도시기의 판정 시 주의하여야 한다.

(1) 장기보유특별공제 적용 대상

3년 이상 보유하고 양도하는 토지 및 건물에 대하여 적용하며, 조합원입주권(조합원으로부터 취득한 것은 제외하며, 조합원입주권을 양도하는 경우에는 「도시 및 주거환경정비법」 제48조에 따른 관리처분계획인가 전 토지분 또는 건물분의 양도차익으로 한정)도 공제대상이 된다.

그리고 비과세 여부와 상관없이 양도 당시 1주택이면 공제를 적용한다. 따라서 비과세 요건을 갖춘 고가주택으로 9억 원 초과 과세되는 주택과 일시적 2주택 등과 거주요건 미충족으로 비과세되지 않는 1주택자도 공제대상이 된다.

다만, 세법개정으로 2020년 양도분부터 조정대상지역 1세대 1주택자의 장기보유특별공제율을 적용받기 위해서는 2년 거주 요건을 충족하여야 한다. 따라서 2년 미만 거주 시 일반 장기보유특별공제(15년, 최대 30%)를 적용하고, 2년 거주 요건을 충족하는 경우에는 장기보유특별공제(10년, 최대 80%)를 적용한다.

2021. 1. 1. 이후 양도하는 고가주택의 1세대 1주택자는 9억 원을 초과하는 양도차익에 대한 장기보유특별공제를 적용할 때 보유기간과 거주기간을 각각 구분하여 보유기간별, 거주기간별 4%의 장기보유특별공제율을 계산한다. 1세대 1주택자(실거래가 9억 원을 초과)에 대한 장기보유특별공제율을 최대 80%(10년)를 유지하되, 거주기간 요건을 추가하여 보유기간별 장기보유특별공제율(연 4%)과 거주기간별 장기보유특별공제율(연 4%)을 구분하여 장기보유특별공제율을 적용한다.

(2) 장기보유특별공제 제외 대상

- 8·2 대책의 조정대상지역 내 2주택자, 3주택자 등 다주택자
- 토지 및 건물이 아닌 자산
- 보유기간 3년 미만의 부동산
- 미등기 양도자산

(3) 보유기간의 계산방법

- 보유기간은 양도자산의 취득일로부터 양도일까지로 계산한다.
- 상속받은 자산을 양도하는 경우에는 상속개시일부터 기산한다. 그러나 세율적용을 위한 보유기간 계산 시는 피상속인의 취득일부터 기산한다.
- 배우자 등 이월과세에는 증여자가 당해 자산을 취득한 날로부터 기산한다.

(4) 장기보유특별공제율

장기보유특별공제액
(실지양도가액 - 실지취득가액 - 기타 필요경비) × 보유기간에 따른 공제율

일반장기보유 특별공제		1세대 1주택 장기보유특별공제		조세특례제한법 제97조의3(장기일반민간임대주택) 장기보유특별공제		조세특례제한법 제97조의4 (장기임대주택등) 장기보유특별공제 추가공제율 과세특례	
보유기간	공제율(2%)	거주기간(4%)	보유기간(4%)	보유기간	공제율	보유기간	추가공제율
3년 이상 4년 미만	6%	3년 이상 4년 미만: 12%	3년 이상 4년 미만: 12%	3년 이상 4년 미만		3년 이상 4년 미만	
4년 이상 5년 미만	8%	4년 이상 5년 미만: 16%	4년 이상 5년 미만: 16%	4년 이상 5년 미만		4년 이상 5년 미만	
5년 이상 6년 미만	10%	5년 이상 6년 미만: 20%	5년 이상 6년 미만: 20%	5년 이상 6년 미만		5년 이상 6년 미만	
6년 이상 7년 미만	12%	6년 이상 7년 미만: 24%	6년 이상 7년 미만: 24%	6년 이상 7년 미만		6년 이상 7년 미만	2% 가산
7년 이상 8년 미만	14%	7년 이상 8년 미만: 28%	7년 이상 8년 미만: 28%	7년 이상 8년 미만		7년 이상 8년 미만	4% 가산
8년 이상 9년 미만	16%	8년 이상 9년 미만: 32%	8년 이상 9년 미만: 32%	8년 이상 9년 미만	50%	8년 이상 9년 미만	6% 가산
9년 이상 10년 미만	18%	9년 이상 10년 미만: 36%	9년 이상 10년 미만: 36%	9년 이상 10년 미만	50%	9년 이상 10년 미만	8% 가산
10년 이상 11년 미만	20%	10년 이상: 40%	10년 이상: 40%	10년 이상 11년 미만	70%	10년 이상 11년 미만	10% 가산
11년 이상 12년 미만	22%			11년 이상 12년 미만		11년 이상 12년 미만	
12년 이상 13년 미만	24%			12년 이상 13년 미만		12년 이상 13년 미만	
13년 이상 14년 미만	26%			13년 이상 14년 미만		13년 이상 14년 미만	
14년 이상 15년 미만	28%			14년 이상 15년 미만		14년 이상 15년 미만	
15년 이상	30%			15년 이상		15년 이상	

Chapter 4 취득시기와 양도시기 그리고 보유시기의 중요성

Kim Yeon Ju & Lim Jun Chan

양도소득세 계산구조를 보면, 양도자산의 취득시점과 양도시점은 자산의 보유기간을 결정한다.

이러한 보유기간은 양도소득세 계산 시 세액결정에 영향을 줌으로써 중요한 역할을 하고 있다.

01 보유기간의 중요성

- 조정대상지역 내의 1세대 1주택자는 2년 이상 보유하고 2년 거주기간을 충족해야 한다.

- 양도하는 토지, 건물을 3년 이상 보유했는지가 장기보유특별공제 여부를 결정하게 된다.
- 매각하는 양도자산의 보유기간에 따라 적용되는 양도소득세율이 급격하게 달라진다.
- 자산을 양도하고 난 후 양도시점을 잘못 판단하면, 양도세 신고기간을 경과하게 되어 가산세가 부과된다.

만약 국세청에서 판단하는 양도시점과 납세자가 생각하는 양도시점이 상이하여 양도세 전반에 대한 흐름이 잘못 이루어진 경우에는 엄청난 가산세가 발생하고, 양도소득세로 인해 잠 못 이루는 밤을 맞이할 수 있다.

원칙적으로 대금 청산한 날을 자산의 양도·취득시기로 본다. 그러나 자산을 이전하는 다양한 형태에 따라 자산의 양도시점과 취득시점이 달라진다.

소득세법 제98조【양도 또는 취득의 시기】

자산의 양도차익을 계산할 때 그 취득시기 및 양도시기는 해당 자산의 대금을 청산한 날로 한다. 이 경우 자산의 대금에는 해당 자산의 양도에 대한 양도소득세 및 양도소득세의 부가세액을 양수자가 부담하기로 약정한 경우에는 해당 양도소득세 및 양도소득세의 부가세액은 제외한다.

소득세법 시행령 제162조【양도 또는 취득의 시기】

1. 대금을 청산한 날이 분명하지 아니한 경우에는 등기부·등록부 또는 명부 등에 기재된 등기·등록접수일 또는 명의개서일

2. 대금을 청산하기 전에 소유권이전등기(등록 및 명의의 개서를 포함한다)를 한 경우에는 등기부·등록부 또는 명부 등에 기재된 등기접수일
3. 장기할부조건의 경우에는 소유권이전등기(등록 및 명의개서를 포함한다) 접수일·인도일 또는 사용수익일 중 빠른 날
4. 자기가 건설한 건축물은 사용승인서 교부일. 다만, 사용승인서 교부일 전에 사실상 사용하거나 임시사용승인을 받은 경우에는 그 사실상의 사용일 또는 임시사용승인을 받은 날 중 빠른 날로 하고 건축허가를 받지 아니하고 건축하는 건축물에 있어서는 그 사실상의 사용일
5. 상속 또는 증여로 취득한 자산에 대하여는 그 상속이 개시된 날 또는 증여를 받은 날
6. 「민법」상 부동산의 소유권을 취득하는 경우에는 당해 부동산의 점유를 개시한 날
7. 공익사업을 위하여 수용되는 경우에는 대금을 청산한 날, 수용의 개시일 또는 소유권이전등기접수일 중 빠른 날. 다만, 소유권에 관한 소송으로 보상금이 공탁된 경우에는 소유권 관련 소송 판결 확정일
8. 완성 또는 확정되지 아니한 자산을 양도 또는 취득한 경우로서 해당 자산의 대금을 청산한 날까지 그 목적물이 완성 또는 확정되지 아니한 경우에는 그 목적물이 완성 또는 확정된 날. 건설 중인 건물은 사용승인서 교부일
9. 「도시개발법」 또는 그 밖의 법률에 따른 환지처분으로 인하여 취득한 토지의 취득시기는 환지 전의 토지의 취득일. 다만, 교부받은 토지의 면적이 환지처분에 의한 권리면적보다 증가 또는 감소된 경우에는 그 증가 또는 감소된 면적의 토지에 대한 취득시기 또는 양도시기는 환지처분의 공고가 있은 날의 다음 날
10. 주주 1인과 기타주주가 주식등을 양도함으로써 해당 법인의 주식등의 합계액의 100분의 50 이상이 양도되는 날. 이 경우 양도가액은 그들이 사실상 주식등을 양도한 날의 양도가액
11. 양도한 자산의 취득시기가 분명하지 아니한 경우에는 먼저 취득한 자산을 먼저 양도한 것으로 본다.

보유시기

보유시기는 일반적인 경우 취득일부터 양도일까지로 한다. 이때 취득일 및 양도일의 판정은 다음과 같다.

1) 취득·양도시점은 원칙적으로 당해 주택의 대금을 청산한 날이다.
   다만, 대금을 청산하기 전에 소유권 이전등기를 한 경우에는 등기접수일을 취득·양도시점으로 보고 대금을 청산한 날이 분명하지 아니한 경우에는 등기접수일로 본다.
2) 본등기를 하기 전 가등기한 기간이 있는 경우 가등기한 기간은 보유기간으로 보지 않는다.
3) 주택을 배우자에게 증여한 후 배우자가 양도하는 경우 증여자의 보유기간과 수증자의 보유기간을 합하여 계산한다.
4) 이혼위자료로 주택을 받은 배우자가 그 주택을 양도하는 경우 배우자의 보유기간만 가지고 판단한다.
5) 재산분할청구권으로 취득한 주택의 보유기간은 소유권을 이전해 준 다른 이혼자의 당초 부동산 취득일부터 양도일까지의 기간을 합하여 계산한다.
6) 증여받은 1주택을 이혼 후 양도하는 경우 증여를 받은 날(증여등기 접수일)부터 보유기간을 계산한다.
7) 주택을 상속받은 경우 피상속인의 사망일부터 계산한다.
   다만, 동일 세대원이던 피상속인으로부터 상속받은 주택은 피상속인의 취득일부터 계산한다.
8) 거주 또는 보유 중에 소실·도괴·노후 등으로 인해 멸실되어 재건축한 경우 멸실된 주택과 재건축한 주택의 보유기간을 통산한다(20세대 미만의 임의재건축 공사기간은 불포함).
   - 주택면적이 증가한 경우에는 보유기간 계산과는 무관하다.
   - 부수토지 면적이 증가한 경우에는 종전주택의 부수토지 면적을 초과하는 부분은 신축일로부터 2년이 경과해야 비과세 받을 수 있다.
9) 보유하던 주택이 「도시 및 주거환경정비법」에 의한 재개발·재건축으로 완공된 경우 종전주택의 보유기간, 공사기간, 재개발·재건축 후의 보유기간을 통산한다(재개발·재건축 공사기간을 포함).

배우자 이월과세 적용대상 자산범위 확대

거주자가 토지, 건물, 특정시설물 이용권을 배우자 또는 직계존비속에게 증여하고 증여한 날부터 5년 이내에 그 자산을 타인에게 양도하는 경우, 증여재산가액을 취득가액으로 보지 않고 증여한 자의 당초 취득가액을 양도한 자산의 취득가액으로 본다. 이러한 과세제도를 "배우자 이월과세"라 한다.

그동안 이 규정은 과세대상 자산에 분양권과 조합원입주권이 포함되지 않아, 6억 원까지 공제되는 배우자증여공제를 이용하여 분양권을 증여한 후 양도하는 형식을 통해 증여세는 물론이고 양도세까지 내지 않는 방법으로 적극 활용되었다.

이번 개정을 통해 분양권과 조합원입주권을 배우자 등에게 증여하고 증여한 날부터 5년 이내에 수증자가 증여받은 분양권을 양도하면 취득가액을 증여한 자의 당초 취득가액으로 보게 된다. 이를 통해 증여를 통한 절세효과는 사라지게 된다.

Chapter 5 | 미등기 양도자산의 위험성

Kim Yeon Ju & Lim Jun Chan

"미등기양도자산"이란 토지, 건물, 부동산에 관한 권리를 취득함에 있어 등기를 하지 아니하고 양도하는 것을 말한다.

등기를 할 수 있는 자산임에도 불구하고 등기를 하지 아니한 상태에서 보유하다가 양도하는 경우, 미등기 양도자산에 대해 상상초월의 제재를 적용받게 된다.

01 미등기 양도를 하는 경우의 불이익

- 3년 이상 보유하는 부동산(토지, 건물)의 양도차익을 공제해주는 장기보유특별공제를 적용하지 아니한다.
- 연 250만 원의 양도소득 기본공제가 배제된다.
- 양도소득세율을 적용함에 있어 미등기 양도자산은 70%의 최고세율을 적용한다.

- 미등기 상태에서 양도되는 1세대 1주택은 비과세 혜택을 받지 못한다.
- 조세특례제한법상 각종의 세액공제 및 감면이 배제된다.
- 양도소득세 신고를 한 후, 세무서에서는 양도소득세 신고기한의 다음 날부터 통상적으로 5년 동안 양도소득세를 부과할 수 있으나, 미등기 양도 등의 경우에는 양도소득세를 부과할 수 있는 기간이 10년으로 길어진다.

그러나 다음의 경우에는 미등기 양도로 보지 아니하므로, 미등기 양도자산에 대한 제재를 받지 아니한다.

소득세법 시행령 제168조【미등기양도제외 자산의 범위 등】

① 법 제104조 제3항 단서에서 "대통령령으로 정하는 자산"이란 다음 각 호의 것을 말한다.

1. 장기할부조건으로 취득한 자산으로서 그 계약조건에 의하여 양도 당시 그 자산의 취득에 관한 등기가 불가능한 자산
2. 법률의 규정 또는 법원의 결정에 의하여 양도 당시 그 자산의 취득에 관한 등기가 불가능한 자산
3. 법 제89조 제1항 제2호, 「조세특례제한법」 제69조 제1항 및 제70조 제1항에 규정하는 토지
4. 법 제89조 제1항 제3호 각 목의 어느 하나에 해당하는 주택으로서 「건축법」에 따른 건축허가를 받지 아니하여 등기가 불가능한 자산
5. 삭제 〈2018. 2. 13.〉
6. 「도시개발법」에 따른 도시개발사업이 종료되지 아니하여 토지 취득등기를 하지 아니하고 양도하는 토지
7. 건설업자가 「도시개발법」에 따라 공사용역 대가로 취득한 체비지를 토지구획환지 처분공고 전에 양도하는 토지

② 법 제104조 제1항 제1호를 적용할 때 법 제94조 제1항 제4호 다목에 따른 주식 등의 양도소득 산출세액에 대주주로서 납부하였거나 납부할 세액이 포함되어 있는 경우에는 이를 차감하여 계산한 금액을 양도소득 산출세액으로 한다. 〈신설 2000. 12. 29., 2017. 2. 3.〉

Chapter 6 | 양도소득세 세액계산 흐름도

Kim Yeon Ju & Lim Jun Chan

양도가액	… 부동산등의 양도 당시 실지거래가액
−	
취득가액	… 부동산등의 취득 당시 실지거래가액 실제거래가격을 확인할 수 없는 경우 매매사례가액, 감정가액, 환산취득가액 적용 가능
−	
필요경비	… 실가: 설비비·개량비, 자본적지출액, 양도비 등 필요경비 개산공제: 매매사례가액, 감정가액, 환산취득가액은 기준시가의 3% 적용
=	

양도차익 … 양도가액 – 취득가액 – 필요경비

–

장기보유특별공제 … (토지·건물의 양도차익) × 공제율

* 연 8%의 공제율을 보유기간 4% + 거주기간 4%로 구분하여 계산
* 다주택자의 경우에는 15년 이상 보유 시 최대 30% 장기보유특별공제가 가능

보유기간		3~4년	4~5년	5~6년	6~7년	7~8년	8~9년	9~10년	10년 이상
1주택	합계	24%	32%	40%	48%	56%	64%	72%	80%
	보유	12%	16%	20%	24%	28%	32%	36%	40%
	거주	12%	16%	20%	24%	28%	32%	36%	40%
다주택		6%	8%	10%	12%	14%	16%	18%	20~30%

=

양도소득금액 … 양도차익 – 장기보유특별공제

–

양도소득기본공제 … 250만 원(미등기 양도자산은 적용 배제)

=

양도소득과세표준 … 양도소득금액 – 양도소득기본공제

×

세 율 … 양도소득세율 참조

=

산출세액 … 양도소득과세표준 × 세율

–

세액공제 + 감면세액 … 외국납부세액공제와 조세특례제한법상 감면세액

↓

자진납부할 세액 … 산출세액 – (세액공제 + 감면세액)

■ 소득세법 시행규칙 [별지 제84호 서식] 〈개정 2018. 3. 21.〉

※ 2010. 1. 1. 이후 양도분부터는 양도소득세 예정신고를 하지 않으면 가산세가 부과됩니다. (1쪽)

관리번호	-

(　　년 귀속)양도소득과세표준 신고 및 납부계산서

([ ]예정신고, [ ]확정신고, [ ]수정신고, [ ]기한 후 신고)

①신고인(양도인)	성명		주민등록번호		내·외국인	[ ]내국인, [ ]외국인	
	전자우편주소		전화번호		거주구분	[ ]거주자, [ ]비거주자	
	주소				거주지국		거주지국코드
②양수인	성명	주민등록번호	양도자산 소재지		지분	양도인과의 관계	

③세율구분 코드	양도소득세 합계	국내분 소계	-	-	국외분 소계	지방소득세
④양도소득금액						
⑤기신고·결정·경정된 양도소득금액 합계						
⑥소득감면대상 소득금액						
⑦양도소득기본공제						
⑧과세표준 (④+⑤-⑥-⑦)						
⑨세율						
⑩산출세액						
⑪감면세액						
⑫외국납부세액공제						
⑬예정신고납부세액공제						
⑭원천징수세액공제						
⑮가산세 무(과소)신고						
⑮가산세 납부불성실						
⑮가산세 기장불성실 등						
⑮가산세 계						
⑯기신고·결정·경정세액, 조정공제						
⑰납부할세액 (⑩-⑪-⑫-⑬-⑭+⑮-⑯)						
⑱분납(물납)할 세액						
⑲납부세액						
⑳환급세액						

농어촌특별세 납부계산서	
㉑소득세 감면세액	
㉒세율	
㉓산출세액	
㉔수정신고가산세등	
㉕기신고·결정·경정세액	
㉖납부할세액	
㉗분납할세액	
㉘납부세액	
㉙환급세액	

신고인은 「소득세법」 제105조(예정신고)·제110조(확정신고), 「국세기본법」 제45조(수정신고)·제45조의3(기한 후 신고), 「농어촌특별세법」 제7조 및 「지방세법」 제103조의5·제103조의7에 따라 신고하며, 위 내용을 충분히 검토하였고 신고인이 알고 있는 사실 그대로를 정확하게 적었음을 확인합니다.

년 월 일

신고인 (서명 또는 인)

환급금 계좌신고 (환급세액 2천만 원 미만인 경우)

㉚금융기관명	
㉛계좌번호	

세무대리인은 조세전문자격자로서 위 신고서를 성실하고 공정하게 작성하였음을 확인합니다.

세무대리인 (서명 또는 인)

세무서장 귀하

첨부서류	1. 양도소득금액계산명세서(부표 1, 부표 2, 부표 2의2, 부표 2의3 중 해당하는 것) 1부 2. 매매계약서(또는 증여계약서) 1부 3. 필요경비에 관한 증빙서류 1부 4. 감면신청서 및 수용확인서 등 1부 5. 그 밖에 양도소득세 계산에 필요한 서류 1부	접수일 인
담당공무원 확인사항	1. 토지 및 건물등기사항증명서 2. 토지 및 건축물대장 등본	

세무대리인	성명(상호)		사업자번호		전화번호	

210mm×297mm[백상지 80g/㎡(재활용품)]

■ 소득세법 시행규칙 [별지 제84호 서식 부표 1] 〈개정 2018. 3. 21.〉 (앞쪽)

관리번호	-

※ 관리번호는 적지 마십시오.

양도소득금액 계산명세서

□ 양도자산 및 거래일

			합 계			
① 세 율 구 분 (코드)				(-)	(-)	(-)
② 소재지국	소 재 지					
③ 자 산 종 류 (코드)				( )	( )	( )
거래일 (거래원인)	④ 양도일(원인)			( )	( )	( )
	⑤ 취득일(원인)			( )	( )	( )
거래자산 면적(㎡)	⑥ 총면적 (양도지분)	토지		(/)	(/)	(/)
		건물		(/)	(/)	(/)
	⑦ 양도면적	토지				
		건물				
	⑧ 취득면적	토지				
		건물				

□ 양도소득금액 계산

거래금액	⑨ 양 도 가 액				
	⑩ 취 득 가 액				
	취득가액 종류				
⑪ 기납부 토지초과이득세					
⑫ 기타 필 요 경 비					
양도차익	전체 양도차익				
	비과세 양도차익				
	⑬ 과세대상양도차익				
⑭ 장기보유특별공제					
⑮ 양 도 소 득 금 액					
감면소득금액	⑯ 세액감면대상				
	⑰ 소득금액감면대상				
⑱ 감면종류	감면율				

□ 기준시가 (기준시가 신고 또는 취득가액을 환산가로 신고하는 경우에만 적습니다)

양도시 기준 시가	⑲ 건물	일반건물				
		오피스텔·상업용				
		개별·공동주택				
	⑳ 토 지					
	합 계					
취득시 기준 시가	㉑ 건물	일반건물				
		오피스텔·상업용				
		개별·공동주택				
	㉒ 토 지					
	합 계					

210mm×297mm[백상지 80g/㎡(재활용품)]

취득가액 및 필요경비계산 상세 명세서(1)

<table>
<tr><th colspan="5" rowspan="2">구 분</th><th rowspan="2">구분코드</th><th colspan="2">거래상대방</th><th rowspan="2">지급일</th><th rowspan="2">지급금액</th><th rowspan="2">증빙종류(코드)</th></tr>
<tr><th>상호</th><th>사업자등록번호</th></tr>
<tr><td rowspan="17">취득가액</td><td rowspan="7" colspan="2">① 타인으로부터 매입한 자산</td><td colspan="2">매 입 가 액</td><td>111</td><td></td><td></td><td></td><td></td><td></td></tr>
<tr><td colspan="2">취 득 세</td><td>112</td><td></td><td></td><td></td><td></td><td></td></tr>
<tr><td colspan="2">등 록 세</td><td>113</td><td></td><td></td><td></td><td></td><td></td></tr>
<tr><td rowspan="3">기타부대비용</td><td>법 무 사 비 용</td><td>114</td><td></td><td></td><td></td><td></td><td></td></tr>
<tr><td>취득중개수수료</td><td>115</td><td></td><td></td><td></td><td></td><td></td></tr>
<tr><td>기 타</td><td>116</td><td></td><td></td><td></td><td></td><td></td></tr>
<tr><td colspan="2">소 계</td><td></td><td></td><td></td><td></td><td></td><td></td></tr>
<tr><td rowspan="2" colspan="4">② 자 기 가 제 조·생 산·건 설 한 자 산</td><td>120</td><td></td><td></td><td></td><td></td><td></td></tr>
<tr><td>120</td><td></td><td></td><td></td><td></td><td></td></tr>
<tr><td rowspan="5" colspan="2">③ 가산항목</td><td rowspan="2">취득시 쟁송비</td><td>변 호 사 비 용</td><td>131</td><td></td><td></td><td></td><td></td><td></td></tr>
<tr><td>기 타 비 용</td><td>132</td><td></td><td></td><td></td><td></td><td></td></tr>
<tr><td colspan="2">매 수 자 부 담 양 도 소 득 세</td><td>133</td><td></td><td></td><td></td><td></td><td></td></tr>
<tr><td colspan="2">기 타</td><td>134</td><td></td><td></td><td></td><td></td><td></td></tr>
<tr><td colspan="2">소 계</td><td></td><td></td><td></td><td></td><td></td><td></td></tr>
<tr><td colspan="2">④ 차감항목</td><td colspan="2">감 가 상 각 비</td><td>141</td><td></td><td></td><td></td><td></td><td></td></tr>
<tr><td colspan="4">⑤ 계 (①+③-④ 또는 ②+③-④)</td><td></td><td></td><td></td><td></td><td></td><td></td></tr>
<tr><td style="display:none"></td></tr>
<tr><td rowspan="23">기타필요경비</td><td rowspan="18">자본적 지출액 등</td><td rowspan="9">⑥ 자 본 적 지 출 액</td><td colspan="2">용 도 변 경·개 량·이 용 편 의 를 위 한 지 출</td><td>260</td><td></td><td></td><td></td><td></td><td></td></tr>
<tr><td colspan="2">엘리베이터, 냉난방설치</td><td>260</td><td></td><td></td><td></td><td></td><td></td></tr>
<tr><td colspan="2">피 난 시 설 등 설 치</td><td>260</td><td></td><td></td><td></td><td></td><td></td></tr>
<tr><td colspan="2">재해 등으로 인한 자산의 원상복구</td><td>260</td><td></td><td></td><td></td><td></td><td></td></tr>
<tr><td colspan="2">개 발 부 담 금 재 건 축 부 담 금</td><td>261</td><td></td><td></td><td></td><td></td><td></td></tr>
<tr><td colspan="2" rowspan="2">자 산 가 치 증 가 등 수 선 비</td><td rowspan="2">260</td><td></td><td></td><td></td><td></td><td></td></tr>
<tr><td></td><td></td><td></td><td></td><td></td></tr>
<tr><td colspan="2">기 타</td><td>260</td><td></td><td></td><td></td><td></td><td></td></tr>
<tr><td colspan="2">소 계</td><td></td><td></td><td></td><td></td><td></td><td></td></tr>
<tr><td rowspan="2">⑦ 취득 후 쟁송비용</td><td colspan="2">변 호 사 비 용</td><td>271</td><td></td><td></td><td></td><td></td><td></td></tr>
<tr><td colspan="2">기 타 소 송, 화 해 비 용</td><td>272</td><td></td><td></td><td></td><td></td><td></td></tr>
<tr><td rowspan="6">⑧ 기타비용</td><td colspan="2">수 익 자 부 담 금</td><td>281</td><td></td><td></td><td></td><td></td><td></td></tr>
<tr><td colspan="2">토 지 장 애 철 거 비</td><td>280</td><td></td><td></td><td></td><td></td><td></td></tr>
<tr><td colspan="2">도 로 시 설 비 등</td><td>280</td><td></td><td></td><td></td><td></td><td></td></tr>
<tr><td colspan="2">사 방 사 업 소 요 비 용</td><td>280</td><td></td><td></td><td></td><td></td><td></td></tr>
<tr><td colspan="2">기 타</td><td>280</td><td></td><td></td><td></td><td></td><td></td></tr>
<tr><td colspan="2">소 계</td><td></td><td></td><td></td><td></td><td></td><td></td></tr>
<tr><td colspan="3">⑨ 계 (⑥+⑦+⑧)</td><td></td><td></td><td></td><td></td><td></td><td></td></tr>
<tr><td rowspan="3">양도비 등</td><td colspan="3">⑩ 양도 시 중개수수료 등 직접 지출비용</td><td>290</td><td></td><td></td><td></td><td></td><td></td></tr>
<tr><td colspan="3">⑪ 국민주택채권 및 토지개발채권 매각차손 등 기타경비</td><td>291</td><td></td><td></td><td></td><td></td><td></td></tr>
<tr><td colspan="3">⑫ 계 (⑩+⑪)</td><td></td><td></td><td></td><td></td><td></td><td></td></tr>
<tr><td colspan="4">⑬ 기타 필요경비 계 (⑨+⑫)</td><td></td><td></td><td></td><td></td><td></td><td></td></tr>
</table>

210mm×297mm[백상지 80g/㎡(재활용품)]

Chapter 7 양도소득세 계산구조

Kim Yeon Ju & Lim Jun Chan

너무나도 전문적이고 복잡하기만 한 양도소득세…

기본적인 흐름을 안다면 최소한의 경비로 처리할 수 있는 서류를 분실하거나 수취하지 못하여 비용처리를 하지 못하는 일은 없을 것이다. 또한 보유기간이 미달하여 장기보유특별공제를 비롯한 각종의 세액공제·감면에서 배제되는 상황을 만들어서는 안 된다.

이처럼 경비처리를 제대로 하지 않거나 장기보유특별공제 또는 공제·감면 등을 받지 못하면 그만큼 양도소득세를 납부하게 된다.

따라서 양도소득세의 계산구조를 알고 그 흐름을 파악하여, 내지 않아도 되는 세금을 부담하는 일은 없어야 한다.

2007년부터 양도소득세 실거래가 과세제도가 시행됨에 따라 부동산을 매매하면서 얻게 된 실지거래가액으로 양도소득세를 계산한다. 따라서 세무서에 실제 증빙에 의한 실거래가로 신고·납부해야 한다.

세부담을 줄이기 위하여 허위의 계약서나 증빙을 비용처리하거나 오래전 구매한 부동산의 취득가액을 알고 있음에도 환산가액으로 조세 면탈 등을 하는 경우에는 양도소득세 비과세 및 감면 배제는 물론이고, 부당신고분에 대해 40% 가산세와 함께 조세범처벌법에 따라 처벌을 받을 수 있다.

01 실지거래가액에 의한 세액계산

(1) 실지 양도가액

양도자와 양수자 간에 실제로 거래한 가액을 말한다.

(2) 실지 취득가액

양도자산의 취득에 소요된 실지거래가액을 말한다.

1) 취득에 소요된 실지거래가액이란

소득세법 시행령 제89조 제1항의 규정을 준용하여 계산한 취득원가에 상당하는 가액을 말한다.

취득원가 상당액이란?

• 타인에게서 매입한 자산은 매입가액에 취득세·등록세 기타 부대비용을 가산한 금액이다.
• 자가제조하거나 생산 또는 건설 등에 의하여 취득한 자산: 원재료비·노무비·운임·하역비·보험료·수수료·공과금(취득세, 등록세 포함)·설치비 기타 부대비용의 합계액이다.

2) 취득가액 계산 시 포함되는 것

자산을 장기할부조건으로 매입하는 경우에 발생한 채무를 기업회계기준에 따라 현재가치로 평가하여 현재가치할인차금으로 계상한 경우 당해 현재가치할인차금을 포함한다.

단, 양도자산의 보유기간 중에 동 현재가치할인차금의 상각액을 각 연도의 부동산임대소득금액 또는 사업소득금액 계산 시 필요경비로 산입하였거나 산입할 금액이 있는 때에는 당해 금액을 공제한다.

당사자 약정에 의한 대금지급방법에 따라 취득원가에 이자상당액을 가산하여 거래가액을 확정하는 경우, 당해 이자상당액은 취득가액에 포함한다.

3) 기타 필요경비

양도자산의 취득가액 이외에도 자본적지출액, 양도비 등 실제 증빙에 의하여 계산한 가액의 합계액을 공제한다.

또한 자본적지출액에 대해 비용처리하고자 하는 경우에는 현금영수증, 세금계산서, 계산서를 제출하여야 한다.

자본적지출이란

소득세법 시행령 제67조 제2항 규정의 자본적지출이란, 사업자가 소유하는 감가상각자산의 내용연수를 연장시키거나 당해 자산의 가치를 현실적으로 증가시키기 위하여 지출한 수선비이다.

다음에 해당하는 지출을 포함한다.

- 본래의 용도를 변경하기 위한 개조
- 엘리베이터 또는 냉난방장치의 설치
- 빌딩 등의 피난시설 등의 설치
- 재해 등으로 인하여 건물, 기계, 설비 등이 멸실 또는 훼손되어 당해 자산의 본래 용도로의 이용가치가 없는 것의 복구
- 기타 개량, 확장, 증설 등

• 건물 노후화로 인해 건물을 재건축할 때 투입되는 철거비용
세법개정으로 재해나 건물 노후화 등으로 부득이한 사유가 발생하여 건물을 재건축하는 경우 발생하는 철거비용을 양도소득의 필요경비에 산입한다.

• 양도자산을 취득한 후 쟁송이 있는 경우
그 소유권을 확보하기 위하여 직접 소요된 소송비용, 화해비용 등의 금액으로서 그 지출한 연도의 각 소득금액의 계산에 있어서 필요경비에 산입된 것을 제외한 금액을 말한다.

• 양도자산의 용도변경, 개량 또는 이용편의를 위하여 지출한 비용

• 양도비용, 예컨대 증권거래세, 양도소득세 신고서 작성비용, 소개비 등을 공제하나 부동산등을 취득하기 위한 대출금의 이자는 공제하지 아니한다.

4) 취득가액 및 필요경비로 제출하는 서류

- 취득 및 양도 시의 매매계약서
- 대금수수 영수증 또는 무통장으로 거래한 경우 무통장입금 영수증
- 부동산 거래대금의 흐름이 나타나는 금융기관 거래통장
- 거래상대방의 거래사실확인서
- 건물을 신축한 경우 도급계약서, 대금지급영수증, 세금계산서 등
- 기타 대금지급 사실을 입증할 수 있는 서류 등

02 장기보유특별공제액의 계산

장기보유특별공제액
(실지양도가액 – 실지취득가액 – 기타 필요경비) × 보유기간에 따른 공제율

(1) 장기보유특별공제율

일반장기보유 특별공제		1세대 1주택 장기보유특별공제		조세특례제한법 제97조의3(장기일반민간임대주택) 장기보유특별공제		조세특례제한법 제97조의4 (장기임대주택등) 장기보유특별공제 추가공제율 과세특례	
보유기간	공제율(2%)	거주기간(4%)	보유기간(4%)	보유기간	공제율	보유기간	추가공제율
3년 이상 4년 미만	6%	3년 이상 4년 미만: 12%	3년 이상 4년 미만: 12%	3년 이상 4년 미만		3년 이상 4년 미만	
4년 이상 5년 미만	8%	4년 이상 5년 미만: 16%	4년 이상 5년 미만: 16%	4년 이상 5년 미만		4년 이상 5년 미만	
5년 이상 6년 미만	10%	5년 이상 6년 미만: 20%	5년 이상 6년 미만: 20%	5년 이상 6년 미만		5년 이상 6년 미만	
6년 이상 7년 미만	12%	6년 이상 7년 미만: 24%	6년 이상 7년 미만: 24%	6년 이상 7년 미만		6년 이상 7년 미만	2% 가산
7년 이상 8년 미만	14%	7년 이상 8년 미만: 28%	7년 이상 8년 미만: 28%	7년 이상 8년 미만		7년 이상 8년 미만	4% 가산
8년 이상 9년 미만	16%	8년 이상 9년 미만: 32%	8년 이상 9년 미만: 32%	8년 이상 9년 미만	50%	8년 이상 9년 미만	6% 가산
9년 이상 10년 미만	18%	9년 이상 10년 미만: 36%	9년 이상 10년 미만: 36%	9년 이상 10년 미만	50%	9년 이상 10년 미만	8% 가산
10년 이상 11년 미만	20%	10년 이상: 40%	10년 이상: 40%	10년 이상 11년 미만	70%	10년 이상 11년 미만	10% 가산
11년 이상 12년 미만	22%			11년 이상 12년 미만		11년 이상 12년 미만	
12년 이상 13년 미만	24%			12년 이상 13년 미만		12년 이상 13년 미만	
13년 이상 14년 미만	26%			13년 이상 14년 미만		13년 이상 14년 미만	
14년 이상 15년 미만	28%			14년 이상 15년 미만		14년 이상 15년 미만	
15년 이상	30%			15년 이상		15년 이상	

(2) 장기보유특별공제 적용 대상

3년 이상 보유하고 양도하는 토지 및 건물에 대하여 적용하며 미등기자산, 조정대상지역 내의 2주택 이상의 다주택자 등은 제외한다.

그리고 비과세 여부와 상관없이 양도 당시 1주택이면 공제를 적용한다. 따라서 비과세 요건을 갖춘 고가주택으로 9억 원 초과 과세되는 주택과 일시적 2주택 등과 거주 요건 미충족으로 비과세되지 않는 1주택자도 공제대상이 된다.

다만, 세법개정으로 2020년 양도분부터 조정대상지역 1세대 1주택자의 장기보유특별공제율을 적용받기 위해서는 2년 거주 요건을 충족하여야 한다. 따라서 2년 미만 거주 시 일반 장기보유특별공제(15년, 최대 30%)를 적용하고, 2년 거주 요건을 충족하는 경우에는 장기보유특별공제(10년, 최대 80%)를 적용한다.

2021. 1. 1. 이후 양도하는 고가주택의 1세대 1주택자는 9억 원을 초과하는 양도차익에 대한 장기보유특별공제를 적용할 때 보유기간과 거주기간을 각각 구분하여 보유기간별, 거주기간별 4%의 장기보유특별공제율을 계산한다.

1세대 1주택자(실거래가 9억 원을 초과)에 대한 장기보유특별공제율을 최대 80%(10년)를 유지하되, 거주기간 요건을 추가하여 보유기간별 장기보유특별공제율(연 4%)과 거주기간별 장기보유특별공제율(연 4%)을 구분하여 장기보유특별공제율을 적용한다.

(3) 장기보유특별공제 제외 대상

- 8·2 대책의 조정대상지역 내 2주택자, 3주택자 등 다주택자
- 토지 및 건물이 아닌 자산
- 보유기간 3년 미만의 부동산
- 미등기 양도자산

(4) 보유기간의 계산방법

- 보유기간은 양도자산의 취득일로부터 양도일까지로 계산한다.
- 상속받은 자산을 양도하는 경우에는 상속개시일부터 기산한다. 그러나 세율적용을 위한 보유기간 계산 시는 피상속인의 취득일부터 기산한다.
- 배우자 등 이월과세에는 증여자가 당해 자산을 취득한 날부터 기산한다.

03 양도소득 기본공제

양도자 1인당 연간 250만 원을 공제한다.

04 부동산 양도소득세 산출세액

- 양도차익 = 실지양도가액 - 실지취득가액 - 기타필요경비
- 양도소득금액 = 양도차익 - 장기보유특별공제액
- 양도소득 과세표준 = 양도소득금액 - 양도소득 기본공제
- 양도소득 산출세액 = 양도소득 과세표준 × 양도소득세율

Chapter 8 | 양도소득세율 알아두기

Kim Yeon Ju & Lim Jun Chan

양도소득세율은 기본적으로 누진과세되는 종합소득세율을 바탕으로 하고 있다. 그러나 미등기 양도자산의 제재와 단기보유 자산 그리고 부동산투기억제를 위한 중과 등의 목적으로 종합소득의 누진세율에 할증률이 가산되거나 70%, 50% 등의 중과율이 적용된다.

양도소득세는 산출세액을 비교하여 많은 세액을 납부하도록 하는 비교과세를 적용하고 있다.

동일한 과세기간 중에 둘 이상의 자산을 양도하는 경우, 둘 중 큰 금액을 산출세액으로 본다.

MAX(①, ②)

① 과세표준 합계액에 일반세율 적용한 산출세액

② 자산별로 세율을 적용한 산출세액의 합계액

• 하나의 자산에 둘 이상의 세율이 적용되는 경우, 각각의 세율을 적용한 산출세액 중 큰 세액을 납부한다.

• 비사업용토지와 비사업용토지 과다보유법인* 주식 등의 양도소득금액을 합산하여 세율을 적용한다.

* 자산총액 중 비사업용토지의 가액이 차지하는 비율이 50% 이상인 법인

• 1필지의 토지가 비사업용토지와 사업용토지로 구분될 경우, 각각 다른 자산으로 보아 세율을 적용한다.

• 2주택자가 조정대상지역에서 1년 미만 보유한 주택을 양도하는 경우에는 MAX [1년 미만 단기보유 시 적용되는 70% 세율과 양도세 일반세율+20% 가산한 중과세율] 중 높은 세액을 적용한다.

• 3주택자가 조정대상지역에서 1년 미만 보유한 주택을 양도하는 경우에는 MAX [1년 미만 단기보유 시 적용되는 70% 세율과 양도세 일반세율+30% 가산한 중과세율] 중 높은 세액을 적용한다.

• 2021. 6. 1. 이후 조정대상지역에 관계없이 분양권(조합원입주권 제외)을 1년 이내 양도 시 70%, 1년 경과 후 양도 시 60% 적용한다.

• 2021. 6. 1. 이후 주택과 조합원입주권을 단기양도하는 경우 1년 이내 양도 시 70%, 2년 이내 양도 시 60%의 중과세율을 적용한다.

• 중소기업주식은 할증평가하지 아니하며, 일반기업의 최대주주 지분의 할증률은 20% 적용한다.

종전에는 최대주주 주식을 상속·증여받는 경우 지분율이 50% 초과하는 경우는 30% 할증하고, 50% 이하인 경우 20%의 할증을 적용하고, 중소기업의 경우에는 50% 초과 시는 15%, 50% 이하인 경우에는 10%의 할증률로 계산하였다. 다만, 중소기업의 경우 2020년 말까지는 할증평가 적용을 배제한다고 조특법에 규정하였다.

그러나 세법개정을 통하여 2020년 1월 1일 이후 상속·증여를 받는 일반기업의 경우 최대주주 지분율에 관계없이 일반기업의 주식을 상속·증여받는 경우 20%의 할증률을 적용하는 것으로 개정되어, 중소기업의 경우에는 할증평가를 배제한다.

양도소득세율

<table>
<tr><th colspan="2">구분</th><th>항목</th><th>종전</th><th>2021년</th><th>시행시기</th></tr>
<tr><td rowspan="8">부동산 및
부동산에
관한 권리</td><td rowspan="2">다주택자
중과세율</td><td>1세대
2주택 이상</td><td>기본세율+10%</td><td>기본세율+20%</td><td rowspan="2">2021년 6월 1일
이후 양도분부터
적용</td></tr>
<tr><td>1세대
3주택 이상</td><td>기본세율+20%</td><td>기본세율+30%</td></tr>
<tr><td rowspan="2">단기
양도세율</td><td>1년 미만 보유</td><td>40%(상가 50%)</td><td>70%</td><td rowspan="2">2021년 6월 1일
이후 양도분부터
적용</td></tr>
<tr><td>1년 이상~
2년 미만 보유</td><td>기본세율
(상가 40%)</td><td>60%</td></tr>
<tr><td rowspan="4">분양권
양도세율</td><td>조정대상지역 내</td><td>기간무관 50%</td><td rowspan="4">지역불문
1년 미만 70%
1년 이상 60%</td><td rowspan="4">2021년 6월 1일
이후 양도분부터
적용</td></tr>
<tr><td rowspan="3">조정대상지역 외</td><td>1년 미만 50%</td></tr>
<tr><td>1년~2년 미만 40%</td></tr>
<tr><td>2년 이상 기본세율</td></tr>
</table>

<table>
<tr><th>구분</th><th>항목</th><th>세율</th><th>시행시기</th></tr>
<tr><td rowspan="2">기타자산</td><td>일반</td><td>누진세율</td><td rowspan="7">2021. 1. 1.</td></tr>
<tr><td>비사업용토지
부동산 과다보유 법인주식</td><td>누진세율+10%</td></tr>
<tr><td rowspan="5">주식</td><td>일반주식</td><td>20%</td></tr>
<tr><td>중소기업주식</td><td>10%</td></tr>
<tr><td>대주주 1년 미만 중소기업 외</td><td>30%</td></tr>
<tr><td>대주주중소기업</td><td>20%</td></tr>
<tr><td>대주주중소기업 외</td><td>3억 원 이하 20%
3억 원 초과 25%</td></tr>
</table>

∞ 조정대상지역 내의 1세대 2주택자, 3주택자 양도소득세 세율구조

2021. 6. 1. 이후 양도	1주택자 (일반세율)		2주택 중과세 (일반세율+20%)		3주택 중과세 (일반세율+30%)	
과세표준	세율	누진공제	세율	누진공제	세율	누진공제
1,200만 원 이하	6%	-	26%	-	36%	-
1,200만 원 초과~ 4,600만 원 이하	15%	1,080,000	35%	1,080,000	45%	1,080,000
4,600만 원 초과~ 8,800만 원 이하	24%	5,220,000	44%	5,220,000	54%	5,220,000
8,800만 원 초과~ 1억 5천만 원 이하	35%	14,900,000	55%	14,900,000	65%	14,900,000
1억 5천만 원 초과~ 3억 원 이하	38%	19,400,000	58%	19,400,000	68%	19,400,000
3억 원 초과~ 5억 원 이하	40%	25,400,000	60%	25,400,000	70%	25,400,000
5억 원 초과~ 10억 원 이하	42%	35,400,000	62%	35,400,000	72%	35,400,000
10억 원 초과	45%	65,400,000	65%	65,400,000	75%	65,400,000

Chapter 9 | 양도소득세 가산세 주의!

Kim Yeon Ju & Lim Jun Chan

부동산을 양도하고 양도일이 속하는 달의 말일부터 2개월 이내에 주소지 관할 세무서에 예정신고·납부를 해야 한다.

이러한 예정신고를 하지 않으면 납부할 세액의 20%인 무신고가산세와 1일 0.025%의 납부지연가산세가 부과된다.

부당한 방법으로 양도소득세를 포탈하려는 경우에는 무신고하거나 과소신고된 금액의 40%를 가산세로 부과한다.

이때 부당한 방법이란 다음과 같다.

- 이중장부의 작성 등 장부의 거짓 기장
- 거짓증빙 또는 거짓문서의 작성 및 수취
- 장부와 기록의 파기
- 재산을 은닉하거나 소득, 수익, 행위, 거래의 조작 또는 은폐

• 그 밖에 국세를 포탈하거나 환급·공제받기 위한 사기, 그 밖의 부정한 행위

그리고 신고불성실가산세와 기장불성실가산세가 동시에 적용되는 경우에는 그중 큰 금액에 해당하는 가산세만 적용하고, 위 가산세의 금액이 같을 경우에는 신고불성실가산세액만을 적용한다.

가산세 도표

종류	부과 사유	가산세액
신고불성실 가산세	일반과소신고 초과환급신고	과소(초과)신고 납부(환급)세액×10%
	단순무신고	무신고 납부세액×20%
	부당무신고 부당과소신고	무(과소)신고 납부세액×40%
납부지연 가산세	미납·미달 납부	미납·미달 납부세액×미납기간×25/100,000 (미납기간: 납부기한 다음 날~자진납부일 또는 고지일)
기장불성실 가산세	대주주 등의 주식 또는 출자지분 양도	1. 일반적인 경우: 산출세액×무기장 또는 탈루한 소득금액 / 양도소득금액×10% 2. 산출세액이 없는 경우: 무기장 또는 탈루한 거래 금액×7/10,000
환산취득가액 가산세	건물신축취득 후 5년 이내 양도	환산취득가액(건물분)×5%

Chapter 10

거짓 계약서 작성 시 양도소득세 비과세·감면배제

Kim Yeon Ju & Lim Jun Chan

아주 오래전에 취득한 부동산이거나 매매가액 자체가 급등한 지역에서 양도가 이루어지는 경우에는 납부해야 하는 양도소득세가 상당히 큰 경우가 많다. 그러다 보니 매매가액을 실제 이루어진 금액보다 낮게 신고하여 양도소득세를 낮추어보려는 시도가 생겨난다.

양도자가 상대편에 있는 취득자에게 다운계약서를 작성해주면 매도가액을 할인해주겠다고 제안하거나, 부동산 취득과 관련된 각종 지방세를 적게 낼 수 있다고 얘기하면서 다운계약서 작성을 유도할 수 있다. 그러나 결론부터 얘기하면 이러한 시도는 무모하다.

국세청은 투명한 부동산 거래를 위하여 많은 제도정비와 제재를 마련해 놓고 있다.

2006년부터 부동산실거래가 신고제도를 도입하고, 2007년에는 양도소득세실거래가 제도를 시행하고 있다.

또한 허위계약서 작성이 적발되면 양도소득세 감면 및 비과세배제는 물론이고, 각종의 과태료와 조세범처벌법에 따라 엄격하게 규제하고 있다.

부동산 또는 분양권을 양도하고 거짓계약서(다운계약서, 업계약서)를 작성하면, 양도자와 양수자 모두 양도소득세의 비과세·감면 규정을 적용받을 수 없다.

01 부동산 분양권 거짓계약서 작성 시 불이익

- 다운계약서: 실제 매매가격보다 낮은 가격으로 작성한 계약서
- 업계약서: 실제 매매가격보다 높은 가격으로 작성한 계약서

(1) 양도소득세 비과세·감면적용이 배제되고 양도소득세 부과

- 양도자: 1세대 1주택 비과세·8년 자경농지에 대한 감면 요건을 충족하더라도 비과세·감면배제 후 양도소득세를 추징한다.
- 양수자: 양수한 부동산을 향후 양도 시에도 비과세·감면 규정 적용 배제를 동일하게 적용하여 양도소득세를 추징한다.

또한 양수자가 양도자 대신 부담한 양도소득세는 애초 양도한 부동산의 양도가액에 포함되므로, 이를 신고하지 않을 경우 추후 양도자에게 추가로 양도소득세와 가산세가 부과된다.

그리고 토지 또는 건물 등을 매매하는 거래 당사자가 매매계약서의 거래가액을 실지거래가액과 다르게 적은 경우에는, 해당 자산에 대하여 양도소득세의 비과세 또는 감면에 관한 규정을 적용할 때 비과세 또는 감면을 받았거나 받을 세액에서 다음의 구분에 따른 금액을 뺀 세액만 비과세 또는 감면한다.

1) 비과세 또는 감면에 관한 규정을 적용받을 경우: Min(①, ②)

① 비과세 감면에 관한 규정을 적용하지 아니하였을 경우의 양도소득 산출세액

② 매매계약서의 거래가액과 실지거래가액과의 차액

2) 조세회피로 보는 환산취득가액

양도소득세 계산 시 환산취득가액을 다음과 같이 적용한 경우에는 조세회피로 보아 추징한다.

취득 당시 실제거래가액이 있음에도 불구하고 환산취득가액을 적용하여 부당하게 신고한 경우에도 양도소득세 비과세·감면배제는 물론이고, 양도소득세와 가산세가 추징된다.

이는 취득 당시 매매계약서를 분실하거나 취득가액과 관련된 서류 등을 찾을 수 없는 경우에는 매매사례가액 → 감정평균가액 → 환산가액 순으로 취득가액을 정한다는 규정을 이용한 세부담회피로 보기 때문이다.

3) 가산세

- 무(과소)신고가산세: 무(과소)신고한 납부세액의 최고 40%의 가산세
- 납부지연가산세: 무(과소)신고한 납부세액의 무(미달)납부일수* × 일당 0.025%의 가산세

  * 무(미달)납부일수: 납부기한의 다음 날~자진납부일 또는 고지일까지의 기간

4) 과태료

- 「부동산거래신고 등에 관한 법률」에 따라 지방자치단체가 부동산등 취득가액 × 5% 이하의 과태료를 부과 처분한다.

02 공인중개사의 불이익

(1) 중개사무소 개설등록이 취소되는 등 영업제한

거짓으로 거래내용 작성·이중계약서 작성·전매 등이 제한된 부동산 매매 중개 시 중개사무소의 개설등록 취소 또는 6개월 이내의 업무정지 처분을 받을 수 있다.

(2) 현금영수증 발급의무 위반 시 가산세 부과

현금영수증 발급의무를 위반한 자에 대해서 발급하지 아니한 거래대금의 20%에 상당하는 가산세가 부과된다.

Chapter 11 양도소득세 신고·납부 및 제출서류

Kim Yeon Ju & Lim Jun Chan

양도소득세는 양도자가 양도한 내역을 세무서에 신고·납부함으로써 납세의무가 확정되는 세목이다.

따라서 법정신고기한까지 필요한 서류를 갖추어 신고·납부해야 하며, 신고·납부를 하지 아니하는 경우에는 무신고 등에 따른 가산세가 부과된다.

01 양도소득세 신고 시 준비서류

(1) 신고서 및 납부서

- 양도소득과세표준 신고 및 자진납부계산서
- 양도소득금액계산명세서

- 취득가액 및 필요경비계산 상세 명세서
- 양도소득세 및 지방소득세 납부서

(2) 신고 시 세무서에 제출하는 부속서류

- 당해 자산의 매도·매입에 관한 계약서 사본
- 환지확정 전 취득한 토지는 환지예정지증명원, 잠정등급확인원 등
- 중개수수료 지급액, 신고서작성비용, 법무사수수료 지급액 등의 증빙 자료, 감가상각비명세 등이며, 자본적지출로 경비처리를 하고자 하는 경우에는 현금영수증, 세금계산서, 계산서를 제출하여야 한다.

(3) 신고 시 생략 가능한 서류

- 토지·건물 등기부등본, 토지·건축물대장 등본, 개별공시지가 확인원. 단, 양도소득세 계산 시 폐쇄등기부 등본이 필요한 경우 납세자가 제출

02 신고·납부기한

(1) 양도소득세 예정신고

1) 부동산 양도

부동산을 양도한 경우에는 양도일이 속하는 달의 말일부터 2개월 이내에 주소지 관할 세무서에 예정신고·납부를 해야 한다.

만약 2월 3일이 대금을 청산한 양도일이라면 4월 30일까지 양도소득세를 예정신고·납부해야 한다.

예정신고를 하지 않으면 납부할 세액의 20%인 무신고가산세와 1일 0.025%의 납부지연가산세가 부과된다.

- 토지 또는 건물, 부동산에 관한 권리, 기타자산(특정주식 등)을 양도한 경우
  - 양도일이 속하는 달의 말일부터 2개월 이내
- 부담부증여(2017년 1월 1일 이후 부담부증여하는 분부터)
  - 증여일이 속하는 달의 말일부터 3개월 이내
- 토지거래계약 허가구역 안에 있는 토지로서 허가를 받기 전에 대금을 청산한 경우
  - 토지거래허가(해제)일이 속하는 달의 말일부터 2개월 이내

2) 주식등 양도

주식등을 양도일이 속하는 반기의 말일부터 2개월 이내에 예정신고·납부를 해야 한다. 만약 주식 양도일이 2월 27일인 경우 8월 31일까지 양도소득세를 예정신고·납부를 해야 한다.

예정신고를 하지 않으면 납부할 세액의 20%인 무신고가산세와 1일 0.03%의 납부불성실가산세가 부과된다.

파생상품의 경우에는 예정신고의무가 없다.

(2) 양도소득세 확정신고

당해연도에 부동산등을 여러 건 양도한 경우에는 그다음 해 5월 1일부터 5월 31일까지 주소지 관할 세무서에 확정신고를 해야 한다.

다만, 1건의 양도소득만 있는 자가 예정신고를 신고·납부한 경우에는 확정신고를 하지 않아도 된다.

예정신고나 확정신고를 하지 않은 때에는 정부에서 결정·고지하게 되며, 신고·납부를 하지 않은 경우 무신고가산세 20%(또는 40%), 납부지연가산세 1일 0.025%를 추가 부담해야 한다.

(3) 양도소득세 세금납부

1) 양도소득세

양도자의 주소지를 관할하는 세무서에 신고하고 납부서를 작성하여 은행 또는 우체국에 직접 납부하거나, 세무서에서 신용카드 납부도 가능하다. 홈택스 등을 이용한 국세 전자납부도 할 수 있다.

2) 지방소득세

지방소득세는 주민등록상의 주소지를 관할하는 시·군·구에 납부하는 지방세로서, 주소지 시·군·구에서 계약한 수납대행은행 및 우체국에 납부한다.

(4) 양도소득세 무신고 시 불이익

- 신고의무 불이행에 따른 무신고와 무납부에 따른 가산세가 발생한다.
- 납부할 양도소득세액이 1,000만 원을 초과하는 경우에는 세액의 일부를 2개월 이내에 분납이 가능하나 무신고 시 분납신청을 할 수 없다.
- 양도소득세는 신고확정세목으로 신고를 반드시 해야 하며, 이를 이행하지 않을 경우 추후 수정신고 또는 경정청구를 할 수 없다.
- 양도소득세 감면은 양도세 신고 시 감면신청을 함께 해야 하나 무신고로 인해 감면신청을 하지 않았으므로 감면이 배제되는 경우가 발생할 수 있다.

03 양도소득세 분할납부

부동산의 매매로 납부하게 되는 양도소득세 상당액이 큰 경우, 납세자의 세금 마련을 위한 자금압박이 심하게 되어 세부담의 이중고가 될 수 있음을 감안하여 세액이 1,000만 원을 초과하는 경우 분납신청을 통해 분할납부할 수 있다.

납부할 세액이 1,000만 원을 초과하는 경우, 납부할 세액의 일부를 납부기한 경과 후 2개월 이내에 나누어 낼 수 있다.

구분	분납할 수 있는 세액
납부할 세액이 2,000만 원 이하일 경우	1,000만 원을 초과하는 세액
납부할 세액이 2,000만 원 초과할 경우	납부할 세액의 1/2 이하의 금액

Chapter 12 | 납세자 구제 절차

Kim Yeon Ju & Lim Jun Chan

01 납세고지를 받기 전 권리구제: 과세전적부심사

과세전적부심사제도란 양도소득세는 자진신고·납부함으로써 세액이 확정되나, 세무서에서 업무를 감사한 결과 또는 과세자료에 의해 고지처분하는 경우에(예상고지세액 100만 원 이상) 과세할 내용을 미리 납세자에게 알려 준 다음, 납세자가 그 내용에 대하여 이의가 있을 때 과세예고의 적법 여부에 대한 심사를 청구하는 제도를 말한다.

즉, 납세고지를 받기 전 납세자가 행사할 수 있는 권리구제이다.

'과세전적부심사'는 과세예고통지를 받은 날부터 30일 이내에 통지내용에 대해 '과세전적부심사'를 청구할 수 있다.

다만, 조세범처벌법에 의한 고발이 있는 경우나 과세예고통지를 하는 날로부터 국세부과제척기간의 만료일까지의 기간이 3개월 이하인 경우 등 특별한 사항에 대해서는 배제된다.

과세전적부심사청구를 받은 과세관청은 그 청구부분에 대하여 과세전적부심사에 대한 결정이 있을 때까지 과세표준 및 세액의 결정이나 경정결정을 유보하여야 한다.

청구를 받은 날로부터 30일 이내에 청구내용을 다음과 같이 결정하고 통지해야 한다.

- 심사거부: 형식적 요건의 결격(예컨대 청구기간의 경과 등) 사유로 심사 자체를 하지 않는다는 결정
- 불채택: 청구사항에 이유가 없으며, 청구내용을 채택하지 않는다는 결정
- 채택: 청구사항이 이유가 있으며, 그 청구내용을 채택하는 결정 (일부가 인정되는 경우에는 일부 채택 결정)

02 납세고지를 받은 후 권리구제: 이의신청, 심사청구, 심판청구

납세고지를 받기 전에 청구할 수 있는 '과세전적부심사'와는 달리 이의신청, 심사청구, 심판청구는 납세고지를 받은 후에 납세자가 이의를 제기할 수 있는 권리구제제도이다.

(1) 이의신청

납세고지서를 받은 날로부터 90일 이내에 고지내용에 이의가 있는 경우 세무서(또는 관할지방국세청)에 이의신청서를 제출하고, 이의신청을 받은 과세관청은 접수 후 30일 이내에 결정을 통지한다.

(2) 심사청구, 심판청구

이의신청의 결정통지를 받은 날로부터 90일 이내에 청구할 수 있으며 심사청구는 국세청장에게, 심판청구는 조세심판원장에게 이의를 제기하는 절차이다.

다만, 결정기간 내에 결정통지를 받기 전이라도 결정기간이 지난날부터 심사청구, 심판청구를 할 수 있다.

고지서내용에 이의가 있는 경우 이의신청 없이 바로 심사청구, 심판청구를 할 수 있으며, 동일한 처분에 대해 심사청구와 심판청구를 중복하여 제기할 수 없다.

결정내용은 접수 후 90일 이내에 결정하여 통지한다.

(3) 감사원 심사청구

감사원 심사청구는 이의신청, 심사청구, 심판청구를 거치지 않고 신청할 수 있으며, 감사원장에게 이의를 제기하는 절차이다.

납세고지서를 받은 날로부터 90일 이내에 감사원에 청구서를 제출하고, 접수를 받은 감사원은 3개월 이내에 결정하여 통지한다.

(4) 행정소송

심사청구, 심판청구 또는 감사원 심사청구의 전심절차를 거쳐 그 결정에 대해 이의가 있는 경우 법원의 판단을 구하는 절차이다.

행정소송은 심사청구, 심판청구나 감사원 심사청구 중 하나를 반드시 거쳐야만 제기할 수 있다.

결정통지를 받은 날로부터 90일 이내에 행정소송을 제기해야 한다.

03 납세자보호담당관제도

'납세자보호담당관제도'는 세금과 관련된 고충을 납세자의 편에서 적극적으로 처리해 줌으로써 납세자의 권익을 실질적으로 보호하기 위해 도입한 제도로, 이를 위해 전국의 모든 세무관서에는 납세자보호담당관이 설치되어 있다.

납세자는 국세청에서 담당하는 세금과 관련된 애로 및 불편사항에 대하여 고충 또는 권리보호를 요청할 수 있다.

- 세금구제 절차를 알지 못하여 불복청구 기간이 지났거나, 과세 당시 입증자료를 내지 못하여 세금을 물게 된 경우
- 실제로는 국내에 한 채의 주택을 갖고 2년 이상 소유한 후 팔았으나, 여러 가지 사유로 1세대 1주택 비과세 혜택을 받지 못한 경우

• 체납세액에 비하여 너무 많은 재산을 압류하였거나, 다른 재산이 있음에도 사업활동에 지장을 주는 재산을 압류한 경우
• 세무조사과정에서 과도한 자료요구 등 세무조사와 관련하여 애로·불만사항이 있는 경우 등
• 기타 세금관련 애로사항 발생

〈납세자권리구제절차〉

사전권리구제제도

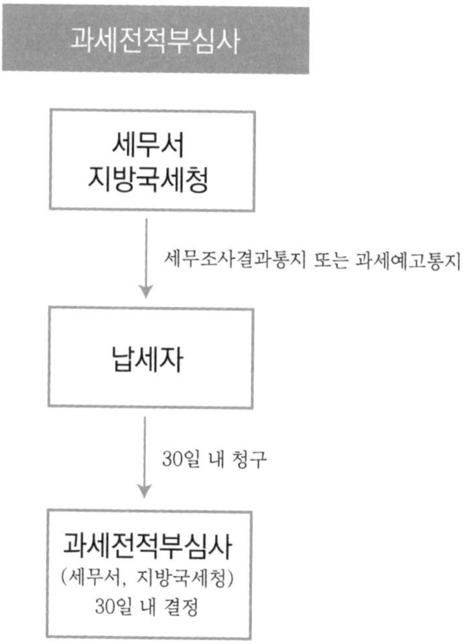

과세전적부심사

세무서
지방국세청

↓ 세무조사결과통지 또는 과세예고통지

납세자

↓ 30일 내 청구

과세전적부심사
(세무서, 지방국세청)
30일 내 결정

심사 · 심판청구 및 행정소송

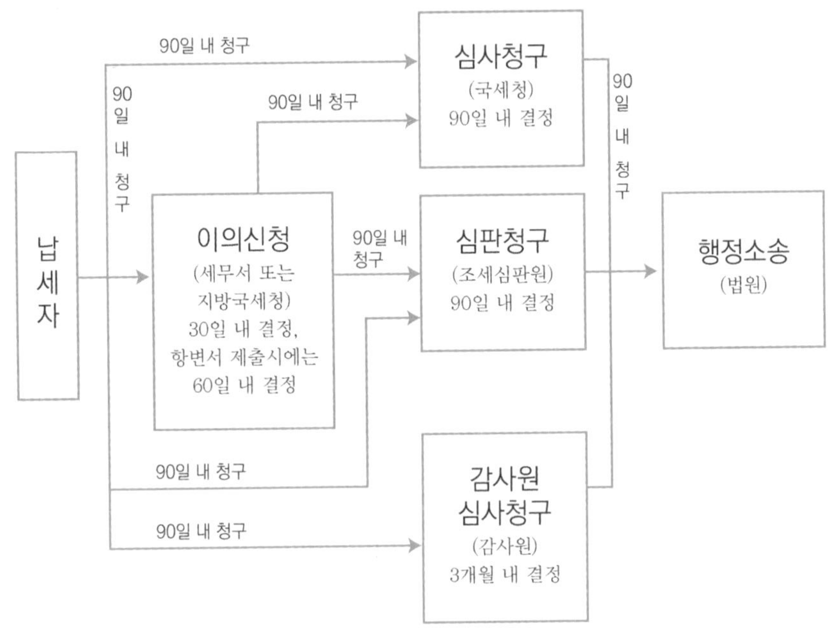

저자 소개

김연주(金均注) 세무사

제38회 세무사시험에 합격한 후 BCS Asset Consulting 대표세무사로 있다.
서울지방국세청 국세심사위원, 경희대학교 경영대학원 의료경영 MBA 교수, 강남세무서 납세자지원단, 강남구 상공회의소 이사, 강남구 지방세감면위원, 한국세무사회 상담 및 감리 및 홍보위원과 중소기업청 경영자문위원, 중소기업이업종 서울연합회 위원, 민주 평화통일자문위원 등을 역임하였다. 서울지방국세청 및 납세자지원단을 통해 다양한 양도·상속·증여의 세무상담과 재산세제 컨설팅을 제공하는 재산세제 전문세무사이다. 서울시 마을세무사, 세종문화회관 후원회, 아름지기 재단 후원회, 삼일인포마인 칼럼위원, 한국중견기업연합회 회원사 등으로 활동 중이다.
「조세전문가가 알려주는 양도·상속·증여 절세 컨설팅」, 「스마트한 사장은 상속을 준비한다」, 「성공한 병원에는 그들만의 세무비법이 있다」, 「상속·증여·양도세 이야기」, 「여성 세무사들과 함께 하는 세금가이드」를 출간하고 「사장의 현금관리법」을 감수하였다.

임준찬(林埈鑽) 세무사

제38회 세무사시험에 합격한 후 BCS Asset Consulting 대표세무사로 있다.
건국대학교 건축디벨로퍼과정 교수, 한국세무사회 상담위원, 감리위원, 상임위원 및 성북세무서 성실납세자문위원과 납세자지원단, 중소기업청 경영자문위원을 역임하였다.
현재 중소기업융합서울연합회 회원사, 성북구 세무상담위원, 성북구 상공회의소 감사, 중소기업이업종 서울연합회 융복합특별위원으로 활동 중이다.
건국대 토지개발 및 재개발·재건축 강의, 스피드뱅크 재개발·재건축 강의, 케이블 TV Dream City 조세상담, 상공회의소 세법 실무 강의 등 다양한 매체를 통해 양도·상속·증여의 절세전략을 제시하고 있다. 더불어 다양한 양도·상속·증여 상담을 통해 절세대안을 컨설팅하는 재산세제 전문세무사이다.
「조세전문가가 알려주는 양도·상속·증여 절세 컨설팅」, 「스마트한 사장은 상속을 준비한다」, 「성공한 병원에는 그들만의 세무비법이 있다」 저서와 「사장의 현금관리법」을 감수하고 [Women Times] 세무칼럼을 연재하였다.

homepage www.bcs-tax.com
mobile 010-4426-2838